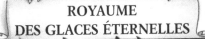

ROYAUME
DES GLACES ÉTERNELLES

VILLAGE

MER
IMMOBILE

KU-032-249

HAUT PLATEAU
ORIENTAL

SOUFFLE
DU MONDE

GRANDS VOLCANS

LES SENTINELLES

Les Princesses
du Royaume
de la Fantaisie

1

Texte de Téa Stilton.
*Basé sur une idée originale d'*Elisabetta Dami.
*Collaboration éditoriale d'*Elena Peduzzi.
Coordination des textes de Serena Bellani.
Coordination éditoriale de Patrizia Puricelli.
*Édition d'*Antonella Lavorato.
Coordination artistique de Roberta Bianchi.
Assistance artistique de Lara Martinelli.
Dessins originaux des Princesses du royaume de la Fantaisie de Silvia Bigolin.
Illustrations de Silvia Bigolin.
Illustrations des «Secrets de Nives» de Silvia Fusetti,
avec la collaboration de Silvia Bigolin.
Carte de Carlotta Casalino.
Couverture de Iacopo Bruno.
Projet graphique et mise en pages de Marta Lorini.
Traduction de Béatrice Didiot.

www.geronimostilton.com

Pour l'édition originale :
© 2009, Edizioni Piemme S.p.A. – Corso Como, 15 – 20154 Milan, Italie
sous le titre *Principesse del Regno della Fantasia 1 – Principessa dei ghiacci*
International rights © Atlantyca S.p.A. – Via Leopardi, 8 – 20123 Milan, Italie
www.atlantyca.com – contact : foreignrights@atlantyca.it
Pour l'édition française :
© 2013, Albin Michel Jeunesse – 22, rue Huyghens, 75014 Paris – www.albin-michel.fr
Loi n° 49-956 du 16 juillet 1949 sur les publications destinées à la jeunesse
Dépôt légal : second semestre 2013
Numéro d'édition : 20779
ISBN-13 : 978-2-226-25091-9
Imprimé en France par Pollina S.A. en septembre 2013
Numéro d'impression : L65961

Téa Stilton

PRINCESSE des GLACES

ALBIN MICHEL JEUNESSE

Personnages

❧ La princesse Nives ❧
Elle dirige le royaume des Glaces éternelles.
Le temps est venu pour elle de se marier
et de devenir reine.

❧ La comtesse Berglind ❧
La vieille tante de Nives
se montre parfois sévère,
mais seulement parce qu'elle
veut ce qu'il y a de mieux
pour sa nièce.

Arla et Erla
Combattives et obstinées, les cuisinières
du château d'Arcandide se disputent
à tout propos.

❧ Gunnar ❧
Plus grand loup blanc
du royaume, Gunnar est le chef
de la sécurité d'Arcandide.
Ses immenses yeux magnétiques
ne laissent transparaître aucune
émotion.

Haldorr
Érudit passionné, le bibliothécaire
d'Arcandide sert de référence
à toute la cour.

❧ HELGI ❦

Jardinier de la cour, Helgi est
le seul à avoir connu le Roi sage,
père de Nives.

OLAFUR

Le majordome d'Arcandide est toujours
d'une tenue impeccable et ne perd jamais
le contrôle de la situation.

❧ THINA ET TALLIA ❦

Ce sont les cousines de Nives. Tallia,
la plus jeune, a un visage aussi animé
que son caractère. Tallia, plus mûre
et réfléchie, a de grands yeux
profonds.

CALENGOL

Mi-gnome mi-elfe, il est l'ennemi juré
de Nives et de la cour d'Arcandide.

❧ PRINCE HERBERT DE LOM ❦

Le prince de la terre de Lom est le fiancé
de Nives. Mais sa nature mystérieuse
ne tardera pas à se révéler.

Venez avec moi !

J'aimerais vous emmener dans une contrée lointaine…

J'aimerais voyager avec vous sur les terres des Cinq Royaumes, qui se trouvent juste là, vous voyez ? Aux confins du royaume de la Fantaisie… même si en vérité la Fantaisie n'a guère de limites.

Revenons à la carte. Nous y sommes : voici le royaume des Glaces éternelles.

Certes, c'est une terre froide et inhospitalière dont nul ne connaît vraiment la géographie.

Peut-être n'est-ce pas le meilleur endroit pour commencer, mais il faut bien un point de départ.

Je ne peux pas tout vous révéler maintenant. Vous devez me faire confiance. Il convient de progresser, pas à pas. Vous rencontrerez de nombreux personnages, visiterez des lieux incroyables, découvrirez des secrets !

Tout cela vous surprendra, croyez-moi ! Encore un peu de patience… Il vous faut connaître certaines choses avant d'entamer ce voyage.

La première est que, jadis, le royaume des Glaces éternelles faisait partie d'une monarchie plus étendue, appelée le Grand Royaume et gouvernée par un unique souverain : le Vieux Roi.

C'était un magicien terriblement méchant : chacun des peuples sous sa coupe souffrait de sa cruauté et de celle de ses hommes.

Bien des années avant le début de cette histoire, un chevalier se révolta contre le Vieux Roi. Il l'affronta, le vainquit et prit sa place. Son âme était bonne, aussi décida-t-il d'épargner la vie du tyran.

Usant de l'un des sortilèges du mage, il l'endormit ainsi que ses conseillers. L'une des parties du palais se détacha et devint le rocher du Sommeil, tandis que le sol sur lequel il se dressait s'éloignait du Grand Royaume et se transformait en île.

On nomma celle-ci l'île Errante, et peut-être n'est-ce qu'une légende, mais de nombreux marins sillonnant la mer des Passages prétendent l'avoir vue. Enfin, vous savez, il ne faut pas croire tout ce que racontent les marins.

Après avoir plongé dans le sommeil le Vieux Roi et sa cour, le chevalier divisa le Grand Royaume en cinq monarchies distinctes : le royaume des Glaces éternelles, le royaume des Coraux, le royaume des

Sables, le royaume des Forêts et le royaume de l'Obscurité.

Il en confia la régence à chacune de ses cinq filles : les princesses du royaume de la Fantaisie.

Enfin, avant de quitter les Cinq Royaumes, le chevalier en fit disparaître toute magie, car c'était le moyen dont avait usé le Vieux Roi pour répandre le mal dans le Grand Royaume.

Même si le chevalier ne fut jamais un authentique monarque, les populations qui habitaient les Cinq Royaumes l'appelèrent le Roi sage, car tout ce qu'il avait accompli visait le bien de tous.

De nombreuses années se sont écoulées depuis la division du Grand Royaume par le Roi sage, et ses cinq descendantes ont grandi.

L'héroïne de ce récit est Nives, celle à qui fut confié le royaume des Glaces éternelles, le plus hivernal des cinq.

Elle n'a guère de souvenirs de sa famille, en particulier de sa mère et de ses sœurs. Elle ne se rappelle que son père, le jour où celui-ci offrit à la toute petite fille qu'elle était une boîte dans laquelle, lui expliqua-t-il, était caché son avenir. Aujourd'hui, *la princesse la conserve jalousement dans un endroit secret de son château de glace, Arcandide.*

Avec un peu de chance, vous aussi apprendrez ce qu'elle contient.

Mais vous devrez faire très attention...

... car quelqu'un intrigue dans l'ombre pour que revienne le temps de la magie.

Quelqu'un chante de vieilles ritournelles, étudie d'anciens livres et vit encore dans le rocher du Sommeil... Quelqu'un qui ne s'est pas endormi...

Cette personne aussi a grandi, et l'on murmure qu'elle est revenue pour exécuter un plan malfaisant : réunifier les Cinq Royaumes et réveiller toute la cour assoupie sur l'île Errante.

Par conséquent, soyez prudents lorsque vous vous aventurerez dans les neiges éternelles de cette histoire, car mille dangers pourraient vous y guetter...

Bienvenue à Arcandide, le château de glace !

Téa Stilton

PREMIÈRE PARTIE

1
L'invitation secrète

Une silhouette encapuchonnée se faufilait silencieusement le long des couloirs déserts du château d'Arcandide. De temps à autre, elle s'aplatissait contre les murs de glace et tendait l'oreille, mais il n'y avait apparemment pas âme qui vive alentour.

Il était très tôt. Le soleil ne s'était pas encore levé, laissant à l'ombre mystérieuse le temps nécessaire pour accomplir sa tâche. D'un pas harassé, elle gravit une large volée de marches recouverte d'un somptueux tapis vert et atteignit une grande porte en bois sombre à double battant. D'une main, elle la poussa, mais ne parvint à l'entrebâiller que de ce qu'il fallait pour s'engouffrer à l'intérieur.

La pièce était immense, parfaitement circulaire et

entièrement tapissée de livres. Les dernières heures de
la nuit enveloppaient meubles et objets d'un manteau
gris. Seule une petite lumière se déplaçait avec hésitation le long d'un étage de la bibliothèque.

– Monsieur Haldorr! appela à voix basse la forme
dissimulée.

La petite lumière s'arrêta, puis descendit jusqu'à
éclairer le dallage de marbre, qui révéla de magnifiques
motifs floraux.

La vieille lampe à huile dévoila les contours du visage
d'Haldorr, le bibliothécaire d'Arcandide. Des traits
anguleux soulignaient son air absorbé dans de lointaines
pensées. Ses yeux étaient ténébreux et asymétriques, et
son nez si recourbé qu'il en touchait presque sa lèvre
supérieure. Mais le sourire de l'homme, ouvert et jovial,
avait un pouvoir aussi rassérénant que le soleil sur le
point de paraître.

– Bonjour, comtesse Berglind! Pardonnez-moi si je
vous ai fait attendre! déclara-t-il en approchant de la
lumière la fiole obscure qu'il tenait dans son autre main.

La comtesse Berglind laissa glisser son capuchon dans
son dos et avança pour mieux voir.

C'était une dame âgée dont les cheveux argentés
étaient rassemblés en un chignon soigné, qui garnissait

sa nuque comme une petite boule d'épingles. Bien qu'elle eût largement dépassé les soixante-dix ans, les difficultés de la vie ne semblaient pas avoir marqué sa peau rose et lisse.

Seule sa vue trahissait son âge et, cette fois encore, elle ne lui permit pas de lire l'étiquette collée sur le flacon : «Encre de l'Hekta».

– Vous êtes sûr que cela fera notre affaire ? demanda la vieille et noble dame en plissant les yeux dans l'espoir de discerner l'une ou l'autre lettre.

– J'en suis certain ! N'ayez crainte… la rassura le bibliothécaire. Il s'agit d'une encre spéciale. Unique, dirais-je. J'ai personnellement recueilli sur les flancs du volcan Hekta le givre dans lequel je l'ai diluée. La recette en est très ancienne.

La comtesse semblait impressionnée par l'explication d'Haldorr, qui écarquillait les yeux pour donner plus d'emphase à ses affirmations.

– Donc ce que nous écrirons n'apparaîtra qu'au regard de ceux à qui est destinée l'invitation ? s'enquit la visiteuse.

– Exactement ! Impossible pour les mauvaises personnes de lire le contenu du message.

– Parfait ! Dans ce cas, je dirais que tout est prêt ! se réjouit la comtesse.

– Il ne nous reste qu'à en avertir la princesse Nives…

L'espace d'un instant, la comtesse se rembrunit. Puis, comme pour chasser une pensée importune, elle agita une main devant son visage, sourit et dit :

– Merci, Haldorr, je me chargerai d'elle. Tout ira pour le mieux, vous verrez. D'ailleurs, nous ne pouvons pas faire autrement : le temps est venu pour ma nièce de trouver un mari.

– Certainement, comtesse. Je vous aiderai à préparer

les courriers, et demain ils seront confiés aux phoques voyageurs afin qu'ils les portent à destination par-delà la mer des Passages.

– Parfait ! Vous êtes d'une aide précieuse, Haldorr.

La vieille dame rabattit alors son capuchon sur sa tête et sortit.

Demeuré seul, Haldorr s'immobilisa pour attendre l'aube.

Le premier rayon de soleil, entré par la grande fenêtre, nimba son maigre corps d'un halo de lumière rosée. Observant pendant quelques instants l'ombre projetée derrière lui, il se rappela combien il aimait en faire naître des personnages quand il était enfant.

Il leva alors les yeux vers la vaste coupole de la bibliothèque, recouverte d'une fresque donnant l'illusion de centaines d'autres livres. Là-haut se perdirent le regard et les pensées d'Haldorr.

2

La princesse Nives

Il y eut ensuite une splendide journée de soleil.

Après le rude hiver polaire, le beau temps et une température plus douce insufflaient la joie et la bonne humeur dans les cœurs des habitants du château. Quand le soleil brillait haut dans le ciel, tous se réveillaient plus énergiques et joyeux.

Au deuxième étage, les deux cuisinières Arla et Erla, déjà en position de combat devant leurs fourneaux, étaient engagées dans une discussion animée.

– N'insiste pas, Arla ! Nous avons déjà fait une tarte aux poires il y a deux jours. Aujourd'hui, c'est le tour des pommes ! déclara Erla en serrant l'un de ces fruits dans sa main gauche.

– Hors de question, Erla ! répliqua son interlocutrice en brandissant une poire. On en reste à ma proposition.

Bien qu'elles fussent sœurs, elles ne se ressemblaient guère. Erla, la plus âgée, était grande et si maigre qu'il fallait être en face d'elle pour s'apercevoir de sa présence. Sa cadette était tout l'inverse : petite et ronde, elle avait toujours la même forme d'où qu'on la regarde. En revanche, leurs caractères étaient très proches : têtues et décidées, elles étaient constamment en désaccord, car portées à remettre en question toute chose jusqu'au moindre détail.

– Je te dis qu'elle sera aux pommes !

– Ah, non ! Aux poires, ou alors…

– Et si on faisait une tarte aux pommes et aux poires ? dit une voix derrière elles.

– Bonjour, princesse Nives ! saluèrent en chœur les deux femmes, prises de court.

La jeune maîtresse d'Arcandide était particulièrement belle, ce matin-là. Son visage blanc et doux était exceptionnellement lumineux, et son regard, souvent de glace, apparaissait calme et détendu. Elle semblait avoir dormi longtemps et paisiblement.

Nives leur rendit leur salut et entra dans la pièce en arborant un charmant sourire.

Elle était vêtue d'une robe assez simple, mais taillée dans une soie précieuse, singulièrement mêlée à de la laine.

Elle portait ce vêtement bleu nuit avec une grâce et une élégance innées, comme une fleur ses pétales.

Arla et Erla échangèrent un regard entendu.

La princesse Nives

– Serait-ce un jour de repos, princesse Nives ? demanda Arla, la plus narquoise des deux, en faisant allusion à la tenue de la jeune femme, guère conforme à l'étiquette de la cour.

– Je vais au Grand Arbre avec Gunnar, répondit celle-ci en toute simplicité.

À cette pensée, une lueur de plaisir traversa ses yeux très clairs. Elle adorait galoper avec Gunnar sur les terres de son royaume bien-aimé. En cette saison, la plus douce de l'année, la chevauchée jusqu'au Grand Arbre était pour elle une authentique renaissance, et Nives se sentait refleurir.

Puis, presque à la dérobée, la princesse posa ses doigts effilés sur la table et les passa rapidement dans le sucre glace…

– Princesse, ça ne se fait pas ! s'exclama Erla pour l'arrêter, un brin trop tard.

Le regard amusé, Nives avait déjà porté sa main à ses lèvres et barbouillé de sucre jusqu'au bout de son nez.

– Oh, princesse ! soupira Erla. Vous n'apprendrez donc jamais ! Vous allez entendre la comtesse, votre tante !

– Qui le lui dira ? s'enquit Nives en riant. Vous, peut-être ? Serez-vous assez cruelles pour me faire punir à cause d'un tout petit peu de sucre ?

Les deux cuisinières sourirent avec résignation. Il n'y avait rien à faire : malgré tous leurs efforts et ceux de la comtesse Berglind pour lui transmettre le minimum d'étiquette et d'usages propres à faire d'elle une reine digne de ce nom, la princesse se dérobait à toute règle et continuait à se comporter comme une enfant gâtée. Elle n'était pourtant plus une gamine, mais une jeune fille en pleine possession de ses moyens !

– Autre chose, mesdames… ajouta-t-elle d'un ton taquin, en s'élançant, vive comme l'éclair, d'une cuisinière à l'autre, dans sa robe de campanule.

– Oui, princesse ? Vous souhaitez nous parler de quelque chose en particulier ?… l'interrogea Arla en regardant sa sœur.

– … à part du fait que vous allez avec Gunnar au Grand Arbre ?! compléta Erla non sans appréhension.

Le Grand Arbre était en effet une plante très singulière. Résolument magique, il avait poussé à l'abri d'un jardin secret. Son existence n'était connue que de rares personnes de confiance à la cour, et il focalisait toute la crainte et le respect qu'inspirent les choses surnaturelles.

Mais le Grand Arbre n'était pas le seul à effrayer Erla. Gunnar était pour elle un autre motif d'inquiétude : son aspect féroce et puissant l'intimidait terriblement.

Feignant un moment d'indécision, Nives s'arrêta au seuil de la porte.

– Non, il me semble qu'il n'y a rien d'autre… pourquoi ? répondit la malicieuse jeune fille en faisant mine de ne pas avoir compris.

– Je ne sais pas, votre altesse. Je croyais vous avoir entendu faire mention d'une autre chose, à l'instant… insista Arla.

– Tu en es sûre, Arla ? Dernièrement, tes oreilles te jouent de drôles de tours… l'asticota sa sœur.

– Certaine ! Voyons, Erla, j'entends parfaitement bien…

Soudain, la cuisinière se tut.

Du couloir provint un bruit de pas, et au bout de quelques instants apparut derrière la porte garnie d'un miroir l'énorme museau d'un loup blanc. C'était un animal robuste au pelage fourni et uniforme, si ce n'était quelques légères rayures grises sur la tête et le cou.

Il avait de grands yeux bleus magnétiques, que la malheureuse cuisinière trouvait tout simplement terrifiants. Ils lui semblaient minces et cruels. C'était le plus grand loup du royaume, chef de la horde de la princesse. Voilà qui était Gunnar.

Les yeux de Nives s'éclairèrent.

– Tu es là, Gunnar ! Eh bien, allons-y ! dit-elle en

caressant le nez de l'animal. Et vous deux, ne vous disputez pas trop !

– Qui, nous ? Mais quand donc ? Moi, certainement pas ! Erla peut-être ! répondit Arla.

– Moi ? Quelle idée ! C'est toujours toi qui commences ! rétorqua sa sœur en brandissant une pomme pile entre les deux yeux d'Erla.

Nives secoua la tête, amusée et résignée. Ces deux-là ne changeraient jamais, mais cela ne lui déplaisait en rien : les transformations la perturbaient et elle préférait que tout reste comme cela avait toujours été.

3

Le Grand Arbre

La venue du printemps était imminente. Le royaume des Glaces éternelles l'attendait, et sa nature en portait les premiers signes.

Sous l'épaisse accumulation des neiges hivernales, la plaine exhibait des lambeaux de terre brune, et, le long des routes, les maigres cours d'eau grossissaient de jour en jour. Sortis de leur hibernation, les premiers ours rôdaient parmi les buissons clairsemés, et les lapins gris sautaient de-ci de-là pour capter la direction du vent. Dans le ciel à nouveau bleu, les oiseaux se dégourdissaient les ailes, en se livrant à de premiers envols. Et même le vent, glacial et tranchant jusqu'aux dernières semaines, semblait s'être apaisé.

Le Grand Arbre

La princesse Nives galopait en croupe de Gunnar, serrée contre la dense fourrure de l'animal. Elle portait une lourde cape, bleue comme sa robe et dont le grand capuchon retombait bas sur ses épaules. Elle n'avait pas froid. Ce jour-là, le soleil chauffait puissamment les corps et les cœurs.

Le royaume des Glaces éternelles n'était autre qu'une immense plaine, bornée au nord et à l'est par de basses montagnes. Derrière Nives et Gunnar se dressait le château d'Arcandide, semblable à une grande dame qui eût blanchi. Gunnar courait à bride abattue, soulevant à chaque foulée les éclats d'une glace qui, du côté de la mer, commençait à céder. Le tapis blanc qui recouvrait le sol était désormais plus souple et plus humide. Ils longèrent de vastes marécages, près desquels bourdonnaient de denses nuées de moustiques. Nives écoutait leur air en plissant les yeux face au soleil. Ils firent un large crochet au sud, puis remontèrent au nord, en direction des montagnes.

Après quelques heures de route, Gunnar s'arrêta au bord d'une crevasse dans la glace, presque indécelable au milieu de toutes les autres crevasses. Nives descendit de son dos et se faufila dans la brèche, révélant l'existence d'un passage étroit.

Le Grand Arbre

Gunnar la suivit péniblement : son corps massif passait difficilement dans le mince espace entre les murs de glace.

Au bout d'une dizaine de pas seulement, l'ouverture s'élargit inopinément en une ample caverne taillée dans la roche. Ses parois internes disparaissaient sous un couvert de lierre, rehaussé des mille couleurs de petites fleurs. Sous leurs pieds s'étendait le dense tapis d'une

herbe si moelleuse et verte qu'on avait envie de s'y rouler. C'était le Jardin d'hiver, qui abritait le Grand Arbre.

Cet arbre prodigieux poussait, seul et majestueux, au centre même de la grotte. Entre ses feuilles pointaient les dernières fleurs et les premiers fruits. Pas ceux d'une seule espèce, mais de toutes les espèces à la fois : cerises, pommes, poires, prunes, bananes et bien d'autres.

Au fond de la caverne, il faisait beaucoup plus chaud que dans la plaine environnante. Le soleil entrait par une brèche située juste au-dessus de la cime verte du Grand Arbre. La fente était bouchée par une épaisse couche de glace, qui, comme une lentille, filtrait la lumière et la décomposait en une centaine d'arcs-en-ciel.

Une fois dans le jardin, Nives retira ses chaussures pour sentir l'herbe sous ses pieds nus et s'approcha lentement des branches les plus basses de l'arbre. Elle huma avec délice le parfum de ses fleurs et regarda avec une curiosité émerveillée les fruits qui apparaissaient déjà dans les ramures les plus hautes.

– Bonjour, princesse ! la salua une voix rauque et profonde provenant d'une zone obscure de la grotte.

Un homme de taille moyenne et plutôt robuste, un grand chapeau de feutre sombre enfoncé sur la tête, avait surgi de nulle part : c'était Helgi, le jardinier de la cour.

Le Grand Arbre

L'homme arborait une longue barbe blonde très soignée, qui encadrait deux rangées de dents blanches et alignées. Ses yeux disparaissaient sous le bord de son couvre-chef, mais Nives connaissait parfaitement le regard loyal et sincère qui se cachait dessous.

Il lui rappelait celui de son père et le temps où elle vivait encore au Grand Royaume avec ses parents et ses sœurs.

– Bonjour à vous, Helgi ! répliqua la princesse.

Sachant que le jardinier était un homme peu bavard, elle limitait elle aussi la conversation au strict nécessaire. D'autant qu'un regard suffit parfois pour se comprendre, comme le soulignait son père.

– Notre arbre bien-aimé semble jouir d'une excellente santé ! observa la princesse avec satisfaction.

– Grâce au printemps… répondit humblement Helgi.

Le Grand Arbre

– Grâce à vous, Helgi !

– Pas un mot de plus, princesse Nives. Pour une personne comme moi, c'est un privilège que de vous servir.

Dans tout le royaume des Glaces éternelles, nul n'était capable de dire avec certitude qui était le vieux jardinier et quel était son passé.

Se reprochant certainement de ne pas l'avoir fait plus tôt, Helgi retira son chapeau de sa main droite et le ramena à sa poitrine. Dans sa main gauche, il tenait un panier tressé qui ne contenait qu'un sécateur.

– Peut-on déjà cueillir quelques fruits ? demanda timidement Nives.

– L'arbre est à vous, princesse ! rappela le jardinier avec dévotion.

Nives se tourna vers Gunnar, qui comprit aussitôt. Il s'approcha et lui offrit son dos pour se hisser jusqu'aux premières ramures de l'immense arbre.

Attrapant une branche, elle y grimpa avec l'agilité d'un singe. Nives nota l'extraordinaire variété des feuilles et des fleurs : non loin d'elle, dans la partie la plus basse, étaient sortis les premiers citrons et, un peu plus loin, une branche se chargeait de grosses et succulentes pêches blanches. Encore quelques semaines

et elles seraient parmi les plus parfumées des Cinq Royaumes. Plus haut, il y avait des cerises, de petites poires rougeâtres et d'énormes mangues.

L'arbre se parait de branches puissantes et d'une écorce blanche. Personne ne savait si, dans quelque coin reculé du royaume de la Fantaisie, il y en avait un pareil. Mais tous étaient convaincus que c'était Helgi en personne qui l'avait apporté et planté dans cette grotte. Helgi, le silencieux Helgi.

Nives saisit une pêche à la peau veloutée et sourit. Au fond, il n'était plus si important de connaître la véritable histoire de l'arbre. Il se dressait là, fort et vigoureux, comme le don le plus merveilleux que le royaume des Glaces éternelles ait pu recevoir.

4
Grands préparatifs au château

Pendant que Nives et Gunnar arrangeaient les fleurs coupées dans le jardin et goûtaient les fruits du Grand Arbre, ils imaginaient les mines réjouies de toute la cour d'Arcandide à la vue des paniers remplis de leur cueillette.

Entre-temps, une certaine agitation s'était répandue dans le château. La comtesse Berglind avait annoncé aux domestiques que, quatre jours plus tard, des festivités seraient organisées en l'honneur de la princesse, de grandes réjouissances, une fête de fiançailles ! Elle avait demandé de sortir des coffres le service de vaisselle et de verres en cristal rehaussé d'or, le plus précieux du palais. Il avait servi lors du mariage du Roi sage et

Grands préparatifs au château

de la reine, et la comtesse Berglind l'avait emporté à Arcandide.

Et ce n'était pas la seule étrangeté de ces jours-là. On avait, par exemple, ordonné aux cuisinières de préparer un menu très élaboré, qui avait relégué au second plan la discussion du matin même sur la tarte aux poires ou aux pommes.

Qu'y avait-il donc dans l'air ? Qu'est-ce qui accaparait ainsi la comtesse Berglind ?

Olafur, qui depuis des années assurait très efficacement la charge de majordome de la cour, ne savait où donner de la tête. Il avait désormais atteint l'âge mûr, même si Erla soutenait perfidement qu'il avait cet âge depuis sa naissance.

Son visage ne trahissait pas la moindre émotion. Il portait toujours un costume noir avec une chemise blanche amidonnée. La constante pâleur de sa peau s'accordait bien avec son visage régulier et sa mince silhouette. Seul détonnait son manque de cheveux, qu'il tentait de cacher par une gracieuse mais inutile mèche rabattue sur le crâne.

Pour l'heure, il marchait d'un pas raide et cadencé, dispensant des rafales d'ordres à droite et à gauche. Pourquoi un tel affairement ? Lui-même l'ignorait ;

Grands préparatifs au château

la comtesse ne lui avait pas fourni beaucoup d'explications, et, conformément à l'étiquette, il n'en avait pas demandé. En milieu de matinée, il avait fait s'aligner devant lui sa brigade de manchots serveurs, qui se tenaient au garde-à-vous tels les soldats en uniforme d'une armée en ordre de bataille.

Arla et Erla, dévorées de curiosité, n'avaient eu, quant à elles, aucun scrupule à demander des éclaircissements à la comtesse.

– Une fête de fiançailles… ça ne lui plaira pas du tout ! observa Arla, en brandissant le couteau qui lui servait à éplucher une montagne

de pommes de terre, afin de donner plus de relief à son propos. Tu vois Nives fiancée, toi ?

– Chut ! Tais-toi ! Tu sais bien que la comtesse ne veut pas qu'on en parle ! On ne devrait même pas le savoir ! répliqua Erla, aux prises avec un énorme dindon à plumer.

– Comme tu es rabat-joie ! De toute façon, maintenant tout le monde est informé.

– Tout le monde sauf la princesse, rectifia Erla.

– Justement, et, comme je le disais, ce ne sera pas de son goût. Elle n'a pas du tout l'intention de se marier ! insista Arla.

À ces mots, Erla, s'approchant de sa sœur en tenant son volatile par les pattes, l'avertit :

– Si tu ne fais pas plus attention, toi non plus tu ne te marieras pas ! Mais pas par choix !

– C'est toi qui me dis ça ! Toujours à espérer qu'Olafur t'accorde un regard ? !

– Jalouse ! rétorqua Erla.

– Glouuu, glouglou, glouuu ! la taquina Arla en glissant les mains sous les aisselles et en imitant la démarche du dindon.

– Arrête !

– Glouuu, glouglou, glouuu ! reprirent en chœur deux petites voix dans le couloir.

Grands préparatifs au château

Les cuisinières se turent immédiatement. Elles se regardèrent un instant et, entendant deux éclats de rire étouffés, comprirent.

– Petites pestes ! commentèrent-elles tout bas.

Sans faire le moindre bruit, Arla et Erla se postèrent de part et d'autre de la huche à pain et, à un signal convenu, l'ouvrirent toute grande.

Deux fillettes apparurent en poussant des cris.

– Au secours ! appelèrent-elles en riant avant de filer à toutes jambes.

Tallia et Thina étaient les nièces de la comtesse Berglind et les jeunes cousines de Nives. Plus mignonne l'une que l'autre, mais également indomptables.

Tallia, la plus jeune, avait six ans et tout l'air d'une fillette bien élevée. Elle avait un visage alerte, éclaboussé de taches de rousseur et des lèvres qui semblaient avoir été dessinées tant elles étaient parfaites. Ses cheveux châtains étaient noués en deux tresses soignées, et elle portait toujours les plus élégantes petites robes. En réalité, elle était bien plus sauvageonne qu'elle le paraissait, et n'exprimait jamais mieux sa véritable nature qu'à travers une action : crier.

Elle était capable de se faire entendre d'une aile à l'autre du château rien qu'en émettant un son aigu. Le

Grands préparatifs au château

majordome prétendait même qu'en plus d'une occasion la voix de la jeune comtesse avait fait voler en éclats plusieurs verres précieux de la salle des Cristaux.

Thina, l'aînée, venait d'avoir dix ans. Elle avait les cheveux bouclés et de grands yeux profonds. Elle adorait se cacher et, comme elle-même aimait à le dire, se camoufler comme les insectes et les reptiles. Ainsi passait-elle la majeure partie de son temps libre à chercher des morceaux de tissu des couleurs les plus diverses pour se confondre avec les tapisseries et le mobilier. Cette passion lui avait permis, à plusieurs reprises, d'entendre des propos qu'elle n'aurait pas dû entendre et de raconter des choses qu'elle n'aurait pas dû raconter.

Arla et Erla les suivirent des yeux jusqu'à ce qu'elles disparaissent au fond du couloir et échangèrent un regard dubitatif.

– Tu penses qu'elles nous ont entendues ? demanda l'une des deux cuisinières.

– Je l'ignore, mais cela n'a pas d'importance. De toute façon, la princesse Nives connaîtra bientôt la nouvelle !

– Ça ne la réjouira pas !

– Mais elle ne pourra rien y faire.

5

Les corbeaux rouges

ntre les préparatifs effectués à l'intérieur des murs d'Arcandide et les activités menées à l'extérieur, la matinée fut trépidante.

Désormais, il était presque l'heure de déjeuner et la comtesse Berglind errait comme une âme en peine dans le grand salon.

La noble dame était partagée entre son sens du devoir, qui la poussait à réprimander Nives, encore en retard pour le repas, et la culpabilité d'avoir envoyé les invitations à l'insu de la jeune fille afin de l'obliger à se choisir un époux.

Cette mission était déjà ingrate pour une mère, combien plus pour une tante ! Mais lorsque la reine et le roi avaient disparu, c'est à elle qu'était revenu le rôle,

parfois difficile, de tutrice de la jeune princesse.

La pauvre femme continuait à arpenter le salon de réception, observant tantôt la table de basalte noir, parée d'une splendide nappe brodée, tantôt la vieille pendule de pierre blanche accrochée entre les deux énormes fenêtres, tantôt les riches tentures en fil d'argent s'ouvrant sur la plaine environnante.

Après tant d'années, la comtesse n'était toujours pas habituée à l'architecture géniale et unique en son genre du château d'Arcandide. Les parois de glace, sculptées avec tant de finesse qu'elles semblaient l'œuvre d'un orfèvre, contrastaient étrangement mais sans fausse note avec le mobilier de pierre, les miroirs et les draperies tissées d'argent, de cuivre et d'or qui garnissaient les fenêtres. Filtrant à travers les murs et les très hauts plafonds, les rayons du soleil produisaient d'amusants reflets, parfois rien moins que des arcs-en-ciel improvisés, tandis que des ombres dansaient sur le sol.

Les corbeaux rouges

La comtesse Berglind se prit à rêvasser en contemplant ces jeux de lumière, puis, pensant à Nives, elle soupira. Elle avait élevé la princesse depuis sa plus tendre enfance comme une maman et était très attachée à elle… Pendant un instant, elle regretta de la contraindre au mariage, mais ce n'était que pour son bien. Enfin, comme la vieille dame le faisait habituellement pour dissiper les pensées déplaisantes, elle fit voleter une main devant son visage et parut immédiatement plus sereine.

Elle quitta rapidement le salon pour se rendre aux cuisines.

Là, le déjeuner devait déjà être prêt.

Enfin presque…

~*~

La tarte aux pommes et aux poires venait d'être sortie du four et, à en juger par le regard que lui lançait le jeune Onze, le manchot serveur le plus gourmand du royaume, elle devait être bonne.

– N'y pense même pas, Onze ! tonna Arla.

L'oiseau recula aussitôt, mais resta pour attendre le premier plat à servir.

Les corbeaux rouges

– Gare aux entourloupes, d'accord ? ajouta Erla, menaçante.

Ayant l'indéracinable habitude de «goûter» l'un ou l'autre mets du plateau qu'il portait à table, Onze avait plus d'une fois gâché les merveilleux plats préparés par les cuisinières.

– Est-ce que les pommes de terre sont cuites ? demanda Erla.

Les corbeaux rouges

À cet instant, un bruit sec fit sursauter les deux femmes et elles furent assaillies par une nuée d'ailes.

– Au secouuuurs ! hurla Erla en se cachant sous la table.

– Aaaah ! s'écria Arla, les mains sur la tête.

Six corbeaux rouges venaient de faire irruption, dans un assourdissant fracas d'ailes battantes. Le manchot demeura immobile à côté de la porte : pétrifié de terreur, il ne bougea pas d'un cil. Les oiseaux envoyèrent choir les jattes pleines d'œufs, les pots de farine, la vaisselle et les paniers de légumes. La pièce n'était plus qu'un tourbillon de feuilles, de graines, de poudre et de plumes.

Un vrai désastre.

– Va chercher de l'aide, Onze ! Dépêche-toi ! le supplia Erla de sous la table.

Alors le manchot se secoua et franchit la porte. La précipitation accentuait la gaucherie de sa démarche, déjà comique en soi ; ses pattes palmées battaient péniblement le sol et les nombreux tapis l'empêchaient de garder son équilibre. Si seulement il avait pu glisser sur une plaque de glace !

Onze se dandina à droite et à gauche, tandis que s'élevait des cuisines un vacarme d'assiettes cassées et de cris. L'un des corbeaux le suivit, avant de disparaître dans les

Les corbeaux rouges

couloirs du château. Onze heurta un meuble, rebondit contre une armure, vira d'un quart de tour à toute allure et… s'abattit en plein sur la comtesse Berglind.

– M… mais enfin, que se passe-t-il, Onze ?! demanda-t-elle, à la fois surprise et irritée. Qu'est-ce que tu fabriques ? Et quel est ce bruit ? Olafur !

La comtesse appelait toujours Olafur quand elle était en difficulté. Mais le majordome était invisible.

Onze agita désespérément ce qui lui tenait lieu de nageoires pour expliquer à la comtesse que les cuisines avaient été attaquées par des corbeaux rouges… les terribles corbeaux rouges ! Ne pouvant parler, il essaya d'imiter le vol de ces oiseaux et bloqua sa respiration pour rendre ses joues écarlates. Battant de ses modestes ailes, il se précipita alors vers les objets et les meubles qui l'entouraient et, pour finir, se laissa tomber brutalement sur le dos.

La vieille dame observa un moment de réflexion.

Soudain ses yeux s'écarquillèrent : elle avait compris !

– Calengol ! Ses sales corbeaux ! hurla-t-elle en soulevant ses jupes et en se mettant à courir comme une gamine.

~*~

Les corbeaux rouges

Dans les cuisines d'Arcandide avait éclaté une véritable guerre de la vaisselle. Depuis leur refuge sous la table, Arla et Erla lançaient des objets de toute sorte dans l'espoir d'abattre quelque corbeau.

Redoublant de détermination, elles réussirent à en bloquer un à l'aide d'un balai. Mais alors qu'elles pensaient contrôler la situation, une créature surgit de la fenêtre grande ouverte.

C'était Calengol, l'ennemi que Nives redoutait le plus.

Depuis que le Roi sage l'avait vaincu et chassé du Grand Royaume, il avait promis de se venger en s'emparant du royaume des Glaces éternelles. En équilibre sur le montant de la fenêtre, il balaya la pièce du regard.

C'était un être répugnant, mi-gnome mi-elfe, doté de grandes oreilles pointues et de petits yeux noirs enfoncés sous d'épais sourcils. Il avait une énorme bouche, remplie de

dents gâtées. Il n'était ni grand ni fort, mais agile et vif comme un lézard, dont il avait la peau verdâtre. Il portait une tunique en lambeaux et un chapeau conique en feutre noir, complètement tordu et usé.

– Arla ! hurla Erla quand elle le vit apparaître à la fenêtre.

– Erla ! hurla Arla en laissant échapper le corbeau rouge qu'elle avait coincé avec le balai.

À la vue de Calengol, les oiseaux se remirent à piailler frénétiquement dans toute la cuisine. La monstrueuse créature sauta sur le carrelage et de là sur la table où étaient posés les gâteaux. Elle jeta un coup d'œil satisfait alentour, tendit ses oreilles pointues hors de son chapeau et leva une main.

– Ça suffit pour le moment ! ordonna-t-il aux corbeaux de sa petite voix croassante, mais non moins stridente.

Obéissants, ceux-ci se posèrent sur une grande maie en pierre, juste à droite de la fenêtre.

– Et elle, où se trouve-t-elle ? s'enquit le monstre en humant l'air, museau relevé.

Armées de louches et de rouleaux à pâtisserie, les deux cuisinières se serrèrent l'une contre l'autre en un bloc défensif.

– Pas ici ! La princesse n'est pas ici ! dit l'une.

– Elle n'est pas au château et, de toute façon, tu ne réussirais pas même à la voir : Gunnar te mettrait en pièces avant ! prévint l'autre.

Calengol dévisagea crânement les deux domestiques, puis il rit de bon cœur.

– Vous espérez vraiment me faire croire ça ?

– Va-t'en, abominable créature ! lui intima Erla en le menaçant de son rouleau à pâtisserie.

Un corbeau avec quelque chose de blanc dans le bec se posa sur l'épaule de Calengol, lequel découvrit ses dents pourries en un affreux et terrifiant sourire.

– Oui, je pars. Cesse de t'agiter, stupide femme ! Et n'oublie pas de saluer ta maîtresse de ma part.

Puis, assis sur ses talons, il se pencha sur le bord de la table et exigea :

– Dis-lui que je suis encore très… très fâché contre elle. Tu m'as compris ?

D'un geste ample, il fit à nouveau décoller les corbeaux.

– Compris, cuisinière ? répéta-t-il.

Erla opina de la tête.

– Très… fâché, oui…

Satisfait, Calengol glapit :

– Elle est à moi ! Elle l'a toujours été ! Dis ça à ta

maîtresse aussi. Bientôt, elle m'appartiendra, tout m'appartiendra !

À cet instant s'ouvrit inopinément la grande porte des cuisines, et la comtesse Berglind entra, suivie d'Olafur. Derrière eux venaient, à bonne distance, deux loups et le manchot Onze. D'un bond, le monstre regagna la fenêtre, prompt à disparaître. Sous ses pieds s'ouvraient au moins cent mètres de vide.

Il fit un geste de la main et les oiseaux le rejoignirent. Agrippant ses vêtements de leurs serres, ils l'emportèrent. Ainsi Calengol s'éloigna-t-il vers le soleil, comme une horrible marionnette suspendue dans les airs. Peu de temps après, le grand cercle de lumière l'engloutit.

6
Une désagréable surprise

Revenant du Grand Arbre, Nives galopait paisiblement en s'émerveillant des reflets renvoyés par l'eau et la glace devant elle. Serrée contre Gunnar, elle laissait son animal courir pour elle. Elle se savait légèrement en retard pour le déjeuner et imaginait les reproches de sa tante. Mais toute heureuse de rapporter ses paniers de fruits, elle était convaincue que, cette fois encore, tout se résoudrait par un sourire.

Lorsqu'elle discerna au loin le château, elle en admira la fabuleuse perfection. Dressé sur une hauteur et entouré d'imposants remparts, Arcandide dominait la plaine.

Sous les toitures fortifiées se distinguaient la haute

Une désagréable surprise

tour circulaire de la bibliothèque ainsi que, du côté de l'à-pic, les fenêtres des cuisines et, côté cour, les balcons d'albâtre de la salle de bal. Du haut de ces balcons, la vue embrassait tout le royaume des Glaces éternelles. À l'angle du palais royal se massaient de petits pavillons trapus réservés aux invités ainsi que ceux attenant au jardin, qui surplombaient l'escarpement.

Une désagréable surprise

Les murailles, taillées dans la glace la plus pure, donnaient à Arcandide le brillant d'un diamant rare. Nives ne pouvait en rien deviner ce qu'elle trouverait en arrivant.

Elle prononça le nom du très ancien pont-levis, Kiram, afin qu'il la reconnaisse et s'abaisse sur le fossé Frémissant, puis franchit la grande porte cloutée située sous le chemin de ronde du Fort-Éperon. Le fonctionnement autonome du pont-levis semblait l'ultime survivance de la magie à Arcandide après que le père de Nives l'avait bannie de tous les royaumes.

Dans la cour intérieure, elle ne rencontra personne. Tout le château semblait désert : personne dans les écuries, ni dans l'entrée de Cuivre, ni dans le large escalier en colimaçon, ni dans le salon des Étincelles.

Au rez-de-chaussée et au premier étage, il n'y avait pas âme qui vive. Dans les pièces s'attardait un silence pesant, de ceux que l'on garde lorsqu'on ne peut révéler un secret.

Légèrement troublée, Nives descendit du dos de Gunnar et se dirigea vers les niveaux supérieurs. Elle entendit des voix provenant des cuisines. Elle était certaine que quelque chose n'allait pas. En montant l'escalier jusqu'au deuxième étage, elle perçut des pleurs et des échanges survoltés.

Une désagréable surprise

Laissant tomber ses paniers de fleurs et de fruits, la princesse se mit à courir. Prudent et protecteur, Gunnar la suivit puis la devança. Ils parcourent à toute allure le long couloir de glace. Les tableaux suspendus aux murs, les petits fauteuils de pierre avec leurs coussins brodés de fils en métal précieux, les grandes commodes en bois et les inutiles armures de guerre les regardèrent passer comme l'auraient fait les spectateurs d'une course.

Nives parvint aux cuisines, le souffle court.

– En… enfin, qu'arrive-t-il ? bredouilla-t-elle en entrant.

Le spectacle était bien pire que ce à quoi elle s'attendait. Pas une assiette ou une tasse intacte, pas une marmite à sa place. Désespérée, la comtesse, sa tante, s'efforçait de consoler une Arla et une Erla encore plus abattues qu'elle.

Deux loups, raides comme la pierre, se tenaient, côte à côte, dans un coin de la pièce. Le majordome tentait de calmer Onze, mais le pauvre manchot ne cessait de battre fébrilement des ailes.

Thina et Tallia, pendues à la robe de la comtesse Berglind, pleuraient à gros sanglots.

– Oh, mon Dieu ! s'exclama Nives.

Sa tante leva les mains au ciel.

– Nives ! Heureusement, tu es là ! Tu vas bien ?

Une désagréable surprise

– Parfaitement, mais vous ? Qu'est-il arrivé ?

Gunnar s'approcha des deux autres loups et, les flairant, comprit.

– C'est Calengol ! expliqua la comtesse, haletante.

– Calengol ? Pas possible ! Comment ce monstre a-t-il fait pour s'introduire ici ? demanda la princesse, interloquée.

– Il est passé par cette fenêtre ! Ses affreux corbeaux rouges l'y ont déposé ! s'empressa de répondre Arla.

– Puis ils ont tout cassé, tous mes ustensiles... précisa Erla en pointant ce qui l'entourait d'un geste tragique.

– Et ma vaisselle ! ajouta Arla.

– Arrêtez de vous plaindre ! intervint la comtesse, qui avait soudain retrouvé son calme. Olafur, veillez à arranger la pièce. Arla et Erla, retirez-vous dans vos chambres ! Vous avez certainement besoin de repos.

– Et le déjeuner ? s'enquirent les cuisinières.

– Nous mangerons des restes, décréta la comtesse.

Puis, se tournant vers sa nièce, elle lui dit :

– Et toi, ma chère enfant, suis-moi ! Je dois te parler.

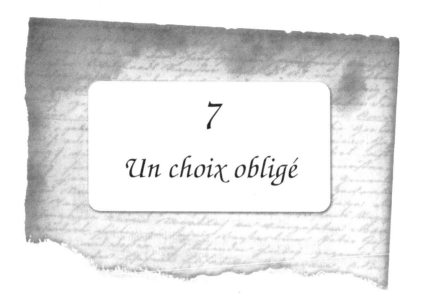

7
Un choix obligé

ives suivit la comtesse Berglind jusqu'à la tour de la bibliothèque. Le silence qui accompagnait chacun de leurs pas lui paraissait de plomb. Sa tante n'était pas préoccupée uniquement par l'intrusion de Calengol. Après toutes ces années, elle la connaissait bien. Sa tante était à ses yeux comme une mère : parfois sévère, mais toujours attentive et affecteuse envers elle. Quelque chose d'autre enfermait la comtesse dans ses pensées. Nives tenta de découvrir ce que c'était.

– Que voulait ce sacré Calengol ? lui demanda-t-elle tandis qu'elles parcouraient des couloirs bruissant encore de récents bruits de pas et de déplacements.

Tous les serviteurs et les gardes du château avaient été

informés de l'attaque et inspectaient chacune des pièces d'Arcandide.

– Il voulait nous effrayer, ma chère. Ce monstre ne capitule jamais. Quand, au cours de la guerre entre ton père et le Vieux Roi, la forêt où il vivait avec son peuple a été détruite, il a voué sa vie à la vengeance. Mais à part Thina et Tallia, il n'a fait peur à personne.

– Cette fois il est entré dans le château ! insista Nives.

– Les fenêtres des cuisines donnent directement sur le rocher. C'est le seul flanc exposé d'Arcandide, rumina la comtesse. Il faudra les faire sceller.

– Il a peut-être laissé des traces derrière lui... hasarda la princesse.

La vieille dame lui lança un regard interrogatif, puis conclut :

– Ce n'est pas à nous d'approfondir cette question...

– Gunnar retrouvera Calengol, vous verrez, et il le chassera de sa tanière une fois pour toutes ! affirma Nives pour rassurer sa tante.

– S'il n'a pas réussi jusqu'ici, il n'y arrivera pas en un après-midi ! grommela la comtesse.

Entre-temps, elles étaient parvenues à la tour. La vieille dame poussa les lourds battants de la bibliothèque et s'empressa d'entrer.

Un choix obligé

– Est-ce de Calengol que vous souhaitiez me parler ?
s'enquit Nives en la talonnant d'un pas.

– Pas exactement, ou plutôt, pas seulement… D'une
certaine façon, je t'entretiendrai aussi de lui.

Après avoir pénétré dans l'ombre des rayonnages,
elles découvrirent presque à l'improviste Haldorr,
plongé dans ses lectures. Il ne s'était même pas aperçu
de l'assaut des cuisines par Calengol.

Le bibliothécaire reposa
un livre argenté sur une
petite table ronde et exécuta
une profonde courbette.

– Mes hommages, comtesse !
Princesse Nives, c'est un plaisir
de vous voir !

– Bonjour, Haldorr, répondit
la noble dame.

Elles lui racontèrent en quelques
mots ce qui venait de se passer. Puis
la comtesse ajouta énigmatiquement :

– Mais en fait, nous sommes ici
pour l'affaire…

– Je comprends, acquiesça le bibliothécaire d'un air grave.

Un choix obligé

– Pouvez-vous m'apporter la boîte et nous laisser seules, s'il vous plaît ?

– Certainement, comtesse ! répliqua Haldorr. Juste un instant.

Il tourna les talons et s'effaça derrière une porte cachée parmi les étagères couvrant les parois circulaires de la pièce.

Nives resta silencieuse. Elle avait un mauvais pressentiment, et un poids étrange pesait sur son cœur.

La comtesse Berglind se taisait, elle aussi. Elle cherchait les mots justes pour expliquer à sa nièce une chose qu'elle savait difficile à lui faire accepter. Mais la princesse était assurément une jeune fille intelligente, elle comprendrait. Le temps passait pour tout le monde et il était temps pour elle aussi de franchir les étapes naturelles de la vie, même celles qu'on pense toujours pouvoir retarder. Désormais, Nives avait besoin d'un prince auprès d'elle.

La petite porte dissimulée parmi les rayons se rouvrit et Haldorr réapparut, une boîte à la main. Celle-ci était en bois sombre, mais son couvercle et ses côtés étaient peints dans un turquoise et un rouge si vifs qu'on les voyait de loin.

– Veuillez me pardonner cette attente, mais je ne la trouvais plus… dit le bibliothécaire.

Un choix obligé

Il posa précautionneusement le coffret sur une petite table encombrée d'ouvrages. Enfin, il se retira et disparut au milieu des livres comme s'il n'avait jamais existé. La comtesse et Nives restèrent seules dans la grande pièce. La tante prit une profonde inspiration et ouvrit la boîte. À l'intérieur étaient conservés quelques billets faits à partir de feuilles pressées et en apparence blancs.

– Chère Nives, j'ai fait préparer ces cartons spéciaux pour une occasion elle aussi spéciale... commença la comtesse.

Impatiente de connaître la raison de tels mystères, Nives ne l'interrompit pas.

– Ce sont des invitations à une fête, rédigées dans une encre particulière : elle ne sera visible que quand le carton arrivera dans les mains de son destinataire.

Une fête? L'espace d'un instant, Nives pensa s'être affolée trop vite. Toute cette tension pour une fête?

Sa tante poursuivit d'une voix plus solennelle :

– Les destinataires en sont les princes les plus valeureux et méritants des Cinq Royaumes. Ils sont tous conviés à la cour pour faire ta connaissance.

– Et pourquoi devraient-ils me connaître?

– Ils seront désireux de te rencontrer, Nives, régente du royaume des Glaces éternelles, deuxième sœur parmi

les princesses du royaume de la Fantaisie, descendante directe du Roi sage… afin de demander ta main !

Nives avait déjà cessé de l'écouter. Son esprit s'était envolé et galopait sur le dos de Gunnar, à travers les immenses étendues de neige, jusqu'à la mer, au geyser, au haut plateau ou encore jusqu'à la crevasse protégée par la glace conduisant à son Grand Arbre bien-aimé.

Là où elle se sentait libre d'être simplement Nives, pas une princesse ni la régente d'un royaume ou la fiancée d'un prince, mais seulement Nives.

– Tu m'écoutes, ma chère ? la tança la comtesse.

– Oui, ma tante. Mais ces cartons…

– Ce sera merveilleux ! se hâta de poursuivre la comtesse. Et je suis certaine que tu trouveras un soupirant digne et amoureux. Les phoques voyageurs délivreront ces invitations aujourd'hui même.

– Je vous en prie ! Je ne suis pas prête pour cela, vous le savez !

Ce que Nives ignorait, c'était que, cette fois, il était inutile d'insister. Sa tante semblait avoir déjà arrêté chaque détail.

– Tout ira pour le mieux, tu verras ! l'assura celle-ci.

Elle voulut caresser la tête de sa nièce, mais celle-ci s'écarta légèrement, sans détacher son regard de la boîte.

Un choix obligé

– Fais-moi confiance, tu veux bien ? ajouta la comtesse.

– Je me suis toujours pliée à votre volonté.

– Et tu le feras cette fois encore ?

– Si c'est ce que vous désirez…

Nives mentit à seule fin de sortir de la tour. Elle éprouvait tristesse et abattement. Ne pouvant croire que sa tante avait préparé ces invitations sans lui en parler, elle se sentait trahie et offensée. Elle demanda à regagner sa chambre et s'en alla.

~*~

Gunnar parcourut les remparts d'Arcandide. Il en inspecta la moindre anfractuosité sans trouver les traces escomptées. Rien, pas même sur les plus hautes murailles dans lesquelles s'ouvraient les fenêtres des cuisines. On eût dit que Calengol était arrivé là en volant.

« Les corbeaux ont-ils assez de force pour le soutenir aussi longtemps ? » se demanda le loup.

Du haut des remparts, il jeta un coup d'œil au fossé Frémissant : il plongeait si bas qu'on n'en distinguait pas le fond. Au-delà d'une certaine distance, on ne discernait plus que du brouillard. Quiconque y tomberait n'en sortirait pas vivant. Pourquoi Calengol, suspendu aux ailes de six corbeaux, avait-il couru un pareil risque ? À quelle fin ? Seulement pour leur faire peur ? En tout cas, il y était parvenu.

Calengol avait déjà menacé la vie de Nives, mais sans jamais s'aventurer jusqu'à Arcandide ; désormais le château n'était plus un lieu totalement sûr, et Gunnar en était fort inquiet.

Alors qu'il terminait sa ronde, le loup remarqua un

traîneau d'Arcandide revenant de la mer proche. Il le suivit des yeux jusqu'à son arrivée dans la cour et en vit descendre Olafur.

Après son entretien avec Nives, la comtesse avait ordonné au majordome de se rendre au port pour confier les invitations aux phoques voyageurs. Mais, à en juger par l'expression du visage d'Olafur, les choses ne s'étaient pas passées comme prévu.

– Impossible de faire quoi que ce soit ! résuma-t-il d'un ton impassible en montant l'escalier menant à la bibliothèque.

– Pourquoi cela, Olafur ? s'enquit la comtesse Berglind, qui l'attendait en haut des marches.

La majordome lui rendit la boîte en bois, qu'il portait sous le bras.

– Des méduses, comtesse. La mer en est infestée et, dans ces conditions, les phoques ne peuvent pas nager.

– Comment ? s'exclama la noble dame. Vous me dites que trois ou quatre méduses vont nous empêcher d'organiser cette fête ?

– Elles ne sont pas d'une espèce courante, comtesse. Ce sont des crinières-de-lion : elles ont presque la taille d'un ours !

Malgré cela, la vieille dame s'obstina :

Un choix obligé

– Il n'y a pas d'autre solution ?

– Je crains que non, comtesse.

– Mais c'est une épouvantable nouvelle ! Épouvantable ! répéta la vieille dame.

~*~

Pas pour tout le monde.

Non loin de la comtesse et d'Haldorr, derrière les vastes tentures du salon de réception situé au rez-de-chaussée, se dissimulait Thina, engagée dans l'une de ses expériences de camouflage. Lorsqu'elle entendit que les invitations n'avaient pas pu partir et que tout tombait à l'eau, elle comprit qu'elle avait découvert une information importante et manqua défaillir d'émotion.

Après avoir attendu que la voie fût libre, elle sortit de sa cachette et se précipita vers la chambre à coucher de Nives. Le cœur battant, elle courut à travers les couloirs du château sans rencontrer personne.

Elle arriva en un clin d'œil et s'arrêta devant la porte entrouverte de la chambre.

Nives était étendue sur le lit, le regard plongé dans les reflets que le soleil projetait, à travers les murs de glace, sur les objets autour d'elle. Elle rêvait qu'elle n'était pas au château, qu'elle retrouvait sa famille perdue et bien d'autres choses qu'il ne lui était même pas permis d'imaginer.

Thina frappa.

– Entrez… dit la princesse d'une voix indifférente.

S'avançant d'un air triomphant, la fillette annonça :

– J'ai une grande nouvelle pour toi !

– Je crains de ne pas avoir envie de l'entendre. J'ai mon compte de grandes nouvelles pour aujourd'hui, marmonna Nives d'un ton las.

Thina ne s'avoua pas vaincue.

– Je te jure que celle-ci est la plus importante de toutes !

Cachant son visage dans ses mains, la princesse répondit :

– Eh bien, vas-y…

– La fête est annulée ! s'exclama sa cousine, toute fière.

– Quoi ? Comment peux-tu le savoir ?

– J'ai entendu de mes propres oreilles notre tante le dire.

– Tu es sûre ? Répète-moi ce que tu as entendu, mot pour mot ! s'enflamma Nives.

– Très bien ! Elle a dit que la mer était pleine de

crinières-de-lion ! Euh, non. Ça, c'est Olafur qui l'a raconté. Alors notre tante a fait : « Oh ! » Puis Olafur a expliqué que les phoques n'avaient pas pu partir parce que ces méduses sont grosses, énormes !

– Et les invitations ? demanda Nives.

– Elles sont toutes restées là !

Nives poussa un si long soupir qu'elle crut en disparaître au fond de son lit.

Puis, ébouriffant les cheveux de sa jeune cousine, elle déclara :

– Merci, Thina, tu avais raison : c'est vraiment une grande nouvelle.

La fillette rit.

– Nives ? demanda-t-elle.

– Oui ?

– Tallia prétend que le jour où un prince viendra, tu devras partir avec lui…

La princesse secoua la tête.

– Non, Thina. Dis à Tallia qu'elle se trompe. Je ne dois aller nulle part. Et de toute façon, aucun prince ne viendra.

« Enfin, je l'espère », pensa-t-elle en ressentant un léger coup au cœur.

8
Une visite inattendue

Le lendemain, tout paraissait comme suspendu. Il y avait ceux qui, comme la comtesse Berglind, attendaient que les méduses, ou plutôt les crinières-de-lion, quittent la mer des Passages pour pouvoir envoyer les invitations, et ceux qui, comme Nives, espéraient qu'elles ne partiraient pas.

La princesse demanda à Haldorr un livre illustré pour occuper agréablement son temps avec Tallia et Thina. Elle inventerait pour elles des histoires de royaumes lointains rien qu'en regardant les images. S'efforçant de ne pas penser aux intentions de sa tante, Nives passa la journée comme s'il n'était rien arrivé.

Désormais, le soir était venu, et Thina et Tallia

Une visite inattendue

écoutaient dans un silence religieux le conte de la colline aux Miroirs, dans lequel une jeune et très belle princesse ne savait quel mari choisir.

– Ainsi le roi, son père, organisa une épreuve, dont le vainqueur, décida-t-il, obtiendrait la moitié du royaume et la main de sa fille… raconta Nives.

– Une épreuve ? Comme c'est romantique… soupira Thina en posant son visage au creux de ses paumes.

– C'est ça, mais il ne s'agissait pas de n'importe quelle épreuve.

– Ah non ? Pourquoi ? Que devaient faire les prétendants ? demanda Tallia, intriguée.

Nives montra l'illustration du livre.

– La princesse devait se tenir au sommet d'une colline avec trois pommes d'or dans les mains. Celui qui réussirait à prendre les trois pommes serait le gagnant.

– Ça ne paraît pas si dur… commentèrent les jeunes cousines.

– Non, si ce n'est que la colline était faite de miroirs et que ses flancs étaient très glissants, ajouta Nives dans un sourire.

– Oooh… s'exclama Tallia.

– C'est le roi qui avait voulu cela, afin que seul le plus brave parvienne en haut ! observa Thina.

Une visite inattendue

– Et le plus léger ! renchérit sa sœur.

– Nombreux furent ceux qui, dégringolant avec leurs chevaux, échouèrent. Et même ceux qui tentèrent de rejoindre la princesse par les airs ratèrent leur coup ! poursuivit Nives.

– Qui l'emporta alors ?

– Un garçon dont les frères se moquaient toujours parce qu'il était prudent. Il se rendit auprès de la princesse avec trois armures différentes et trois chevaux de taille croissante.

– Et que fit-il avec tout cela ? l'interrogea Thina.

– Revêtu de la première armure, qui était en cuivre, et monté sur le premier cheval, il gagna le pied de la colline en miroir. Il en gravit un tiers mais, estimant que c'était dangereux, il fit demi-tour. Étonnée d'un comportement si insolite, la princesse laissa tomber une pomme, qu'il fourra dans un repli de sa cape.

– Et après ? s'enquit fébrilement Tallia.

– Il se ragaillardit et, revêtu de sa deuxième armure, celle d'argent, il monta sur son deuxième cheval, plus haut que le précédent, et gravit de nouveau la colline. Arrivé aux deux tiers, il fit demi-tour. Riant, la princesse fit rouler au bas de la colline la deuxième pomme.

Tallia et Thina ne tenaient plus en place.

Une visite inattendue

– Et après ? firent-elles.

– À la fin, le jeune homme revêtit la troisième armure, toute en or, et, monté sur le troisième et plus haut cheval, il se rendit une dernière fois sur la colline. Il arriva sans effort au sommet et prit la troisième pomme. C'est alors que…

Quelqu'un frappa à la porte, les faisant toutes sursauter. C'était Olafur.

– Princesse, la comtesse vous demande dans le salon central, annonça-t-il.

– Un instant, Olafur, répondit Nives.

– La comtesse vous demande *immédiatement* dans le salon central.

Nives soupira. Elle n'avait aucune envie d'obéir, car récemment la comtesse lui avait réservé des surprises qui ne lui plaisaient guère. Cependant elle ne pouvait refuser.

– Merci, Olafur. Dites-lui que j'arrive tout de suite.

– Oh non, ne pars pas ! cria presque Tallia.

– Il faut qu'on sache comment ça finit ! implora à son tour Thina.

– Voyons si vous devinez ! proposa Nives.

– Elle n'épousa personne, hasarda Tallia.

– Mais non, idiote, la princesse de la colline aux

Une visite inattendue

Miroirs épousa le mystérieux cavalier et... rétorqua sa sœur.

– ... ils vécurent heureux et eurent beaucoup d'enfants ! terminèrent en chœur les deux fillettes en s'esclaffant.

Cette phrase résonna dans la tête de Nives à mesure qu'elle descendait les marches de l'escalier et s'avançait jusqu'à la porte ouverte du salon où l'attendait sa tante. Cependant, la comtesse n'était pas seule.

À côté d'elle se tenait, de dos, un homme robuste, avec de courts cheveux châtains et de très larges épaules.

– Bienvenue, ma chère enfant ! dit la comtesse Berglind, en apercevant sa nièce sur le seuil de la porte. Entre ! Viens par ici que je te présente le prince Herbert de Lom.

Pendant un long moment, Nives resta immobile, comme une aiguille qui ne veut plus faire le tour du cadran. Puis, d'un pas raide, elle se dirigea vers l'inconnu, qui ne s'était pas encore tourné vers elle.

9
Le prince
Herbert de Lom

erbert de Lom était l'un des douze princes invités à la fête.

Il était apparu presque inopinément dans la cour d'Arcandide, drapé dans une blanche fourrure d'hermine et monté sur un grand cheval noir.

Et maintenant il se tenait là, dans le salon central, face à la princesse Nives et à sa tante Berglind.

Il tenait un billet de feuilles pressées.

– Ainsi vous, prince, avez reçu l'invitation à la fête que j'organise en l'honneur de ma nièce ? babilla la comtesse afin d'en savoir plus, puisque Olafur lui avait assuré n'avoir envoyé aucun carton.

Le prince Herbert de Lom

– Le voici, comtesse ! répondit très poliment le prince en lui tendant le billet d'une main ferme.

Les lèvres de la noble dame s'étirèrent en un sourire satisfait et soulagé. Elle saisit le carton, mais ne put rien y lire : il était tout blanc.

– Ah, quelle idiote je fais ! se blâma-t-elle en le lui rendant. J'imagine que seul vous, son vrai destinataire, pouvez en prendre connaissance…

Le prince sourit en recherchant le regard de Nives, qui se contenta d'arborer l'air aimable imposé par les circonstances.

Pourquoi et comment cette invitation avait fini dans les mains d'Herbert de Lom, c'était ce qu'Olafur devait au plus tôt expliquer à la comtesse. Quoi qu'il en soit, il était de

leur devoir d'accueillir le prince comme il convenait avec un hôte de marque. La comtesse s'empressa donc de faire les honneurs d'Arcandide au nouveau venu.

– C'est un véritable plaisir de vous avoir parmi nous, prince de Lom, conclut-elle, toute joyeuse. Ma nièce et moi serons heureuses de vous héberger pour la nuit.

Elle adressa alors à Nives, qui jusque-là était restée silencieuse, un regard impérieux l'invitant à faire preuve de la même courtoisie.

– Certainement, vous êtes le bienvenu ! ajouta aussitôt la jeune fille en se reprenant.

– Malheureusement, poursuivit la comtesse, je dois vous informer qu'à cause des mauvaises conditions maritimes la fête a provisoirement été annulée.

– Quel dommage ! fit le prince.

– En effet… commenta Nives en feignant la déception.

– Je comprends parfaitement la situation, les rassura Herbert. Je ne dois qu'au hasard de me trouver actuellement de ce côté de la mer des Passages. De toute façon, je serai ravi de revenir lorsque vous aurez fixé une nouvelle date.

La comtesse se répandit en excuses, laissant aux deux jeunes gens le loisir de s'observer.

Le prince Herbert de Lom

Bien que le prince eût entendu parler de Nives, il semblait frappé par ce qu'il voyait.

La princesse d'Arcandide alliait à sa remarquable beauté un charme ancien et mystérieux, et ses yeux de glace, dans lesquels Herbert retrouvait en quelque sorte son reflet, lui paraissaient irrésistibles.

Nives, en revanche, percevait en lui une part d'insaisissable et de menace. Malgré son indéniable attrait, rehaussé par des yeux d'une couleur indéfinissable, entre le gris, le bleu et le noir, la jeune fille préférait le tenir prudemment à distance. Sa tante n'exigeait certainement pas qu'elle choisisse le premier soupirant venu, d'autant qu'Herbert repartirait dès le lendemain matin.

La comtesse claqua des doigts.

– Olafur ! appela-t-elle.

Elle afficha un sourire composé et, dès que le majordome parut dans le salon, elle lui ordonna :

– Olafur, je vous prie de conduire le prince à sa chambre.

– Comme il vous plaira, acquiesça Herbert en s'inclinant légèrement devant elle. Il ne me reste qu'à vous remercier, comtesse Berglind.

Il baisa alors la petite main potelée de la vieille dame,

puis celle, fine et délicate, de Nives. Enfin, il suivit le majordome vers la chambre réservée aux invités.

Tandis que sa tante s'enfonçait dans le coussin d'un divan en pierre de lave, Nives, elle, demeura debout dans le salon.

Gunnar avait assisté à toute la scène depuis un coin de la pièce, et ce qu'il avait vu ne lui avait pas plu. Qu'est-ce que ce prince faisait au château ? Comment avait-il reçu l'invitation ? Et comment avait-il réussi à convaincre le pont-levis de le laisser franchir le fossé ?

Son esprit était assailli de mille et une pensées. Il secoua la tête dans l'espoir de les dissiper, mais ses doutes persistèrent.

~*~

La nuit qui suivit n'eut que l'apparence de la tranquillité. Nives fit des rêves un peu plus agités qu'à l'ordinaire. Au milieu de la nuit, persuadée que son père lui parlait, elle se réveilla en sursaut avec la nette impression que quelqu'un la regardait.

Elle alluma sa lampe, mais la pièce était vide. Il n'y avait personne. Mue par une étrange inquiétude, elle conserva de la lumière et peina à se rendormir.

Le prince Herbert de Lom

Dans la chambre des invités, le prince Herbert ne dormait pas non plus. Vêtu de pied en cap, il était assis sur son lit et tenait au creux de sa main un surprenant insecte. Un coléoptère à la carapace bleu cobalt venait en effet de s'y poser.

Le jeune homme observait l'insecte avec la concentration d'un savant et comme s'il voulait lui parler. Quelques minutes s'écoulèrent ainsi, puis le prince se changea, éteignit et trouva le sommeil.

Deux étages plus haut, la comtesse Berglind transpirait, oppressée par les gigantesques oreillers de son lit et par un drap qui, dans son sommeil, lui paraissait terriblement lourd. Elle rêvait que sa nièce adorée vivait enfin heureuse et sereine aux côtés d'un homme qui la protégeait et prenait soin d'elle. Pouvait-il s'agir du fascinant et énigmatique prince Herbert de Lom ?

Non loin des appartements de la comtesse, Olafur le majordome ronflait bruyamment, malgré un sommeil très léger, dont il devait s'extraire au moindre bruit, comme le voulait sa fonction.

Dans la chambre des deux fillettes régnait un silence

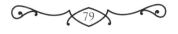

paisible. Comme souvent, Thina et Tallia s'étaient endormies en se tenant la main.

Seule une silhouette rôdait mystérieusement dans le château. Son ombre glissait dans le noir sans répit. C'était Gunnar, qui, habité de sombres pensées et incapable de fermer l'œil, parcourait les couloirs déserts.

L'arrivée du prince inconnu le préoccupant beaucoup, il décida soudain de se rendre auprès de l'unique personne qui pourrait l'aider à éclaircir l'énigme de son arrivée : Haldorr.

Gunnar pénétra dans la petite pièce de la bibliothèque où Haldorr aimait à se remettre de ses soucis. Le

bibliothécaire avait déjà commencé sa propre enquête, et il avait beau compter et recompter les cartons que contenait la boîte, il n'en trouvait que onze.

– Onze, ma foi ! conclut Haldorr en se grattant une tête désormais blanchissante. Je ne comprends pas, mon cher Gunnar : dans ce coffret se trouvaient douze billets. C'est moi-même qui les ai écrits avec la comtesse. Or il n'en reste que onze…

Sur le sol était posée la boîte peinte en rouge et turquoise où les invitations pour la fête de fiançailles de Nives étaient rangées. Il en manquait une : celle destinée à Herbert de Lom.

Le prince qui s'était présenté au château n'avait donc pas menti : il avait bien le carton sur lui.

Néanmoins, personne à Arcandide n'avait pu le lui envoyer.

Avant de se coucher, le bibliothécaire se promit d'en avertir la comtesse. Pour l'heure, l'affaire ne l'inquiétait pas outre mesure. Il ignorait que la matinée du lendemain lui réserverait bien d'autres surprises.

10

La tempête de neige

Au lendemain de cette longue et bien étrange nuit, le ciel parut, dès l'aube, éteint et envahi de nuages. Après le resplendissant soleil de la veille, le temps était à la tempête. À l'heure du petit déjeuner, un vent glacial se mit à souffler entre les plus hautes crénelures d'Arcandide, aussitôt suivi par la neige.

Bien qu'au royaume des Glaces éternelles l'hiver fût à peine fini, on n'avait encore jamais vu de tels phénomènes.

– C'est très bizarre, commenta Haldorr en regardant par la fenêtre les flocons qui tombaient dru.

Tandis qu'il se livrait à cette observation, le ciel gris se fit encore plus sombre et lourd de neige.

La tempête de neige

Haldorr se concentra un instant, puis, une lampe à la main, se dirigea vers le petit escalier central de la bibliothèque. Il monta jusqu'au septième étage des rayonnages de livres et, une fois là-haut, tourna sans hésiter à droite. Au bout de quelques pas, il s'arrêta face à une plaquette de cuivre, sur laquelle était écrit :

ANNALES CLIMATIQUES
DU GRAND ROYAUME

Il s'agissait d'une section particulière de la bibliothèque où étaient conservés les traités et les commentaires sur le climat, les précipitations et les températures du Grand Royaume, jusque dans leurs plus infimes variations. Il approcha la lampe et passa en revue les grands volumes alignés là. Il sortit celui intitulé *Chronologie raisonnée des printemps dans le Grand Royaume* et le consulta.

– C'est bien ce que je pensais… se dit-il à voix haute en parcourant les listes et les notes laissées par ceux qui l'avaient précédé. Une tempête en cette saison n'est pas du tout normale. Du tout.

D'après ce qui était écrit, on n'en avait pas relevé de telle en début de printemps depuis des siècles.

La tempête de neige

Réfléchissant à ce qu'il convenait de faire, Haldorr se caressa longuement le menton, puis referma l'ouvrage et le coinça sous son bras. Il décida de n'en parler à personne avant de s'être bien documenté sur la question. Il ne voulait pas provoquer des inquiétudes inutiles.

Et même s'il avait entendu parler de sorciers du désert qui, à une époque, savaient commander aux nuages, on n'avait jamais plus évoqué de tels sortilèges depuis que le Roi sage avait banni la magie des Cinq Royaumes.

– C'est une tempête bien insolite, mais pas nécessairement maléfique, finit par conclure Haldorr.

~*~

Lorsque la princesse Nives écarta les rideaux de sa fenêtre, elle n'en crut pas ses yeux : elle dut répéter l'opération deux fois pour se convaincre de ce qu'elle voyait.

– De la neige ?! Comment est-ce possible ? s'exclama-t-elle.

Tout à coup, derrière elle, la porte s'ouvrit.

– Tu as vu ? cria la petite voix aiguë de Tallia, qui venait d'entrer pour lui annoncer la bonne nouvelle. N'est-ce pas fantastique ? Tous ces flocons au printemps !

La tempête de neige

– Et ça te fait plaisir ?

– Bien sûr ! On va pouvoir jouer dehors !

– Mais en cette saison… il ne devrait pas faire un temps pareil ! raisonna la princesse.

– Peut-être, mais la neige est toujours un plaisir, non ? Profitons-en tant qu'elle dure ! déclara la fillette en toute simplicité.

Elle attrapa Nives par la manche et s'efforça de la tirer hors de sa chambre à coucher.

– Hé, là, doucement ! Laisse-moi au moins me changer. Où est ta sœur ? s'enquit Nives.

– Oh, celle-là ! Elle est plantée devant la fenêtre de notre chambre et regarde dehors sans ciller, comme une statue. Elle n'aime pas ce temps ! Et notre tante non plus : elle est en train de gronder Olafur parce qu'il avait déjà rangé ses vêtements d'hiver.

La tempête de neige

Nives sourit en imaginant la scène. À l'évidence, la seule personne se réjouissant de la situation était Tallia. Cependant, la princesse se trompait. Quelqu'un d'autre à Arcandide était ravi de ce spectacle insolite : le prince Herbert.

~*~

– Bonjour, prince Herbert ! Avez-vous bien dormi ? demanda la comtesse en l'accueillant dans le grand salon Ambre, au premier étage.

C'était une vaste pièce, avec, en son milieu, une longue table, entourée de sièges à haut dossier. Ses murs de glace étaient ornés de motifs floraux, qui s'accordaient à merveille avec les tulipes d'ambre incrustées dans le sol. À l'initiative de la comtesse Berglind, chaque salon d'Arcandide s'inspirait d'une couleur, afin de faciliter son identification et d'égayer, dans la mesure du possible, l'atmosphère du château, autrement glaciale.

Herbert avait passé une excellente nuit et son réveil avait été encore plus agréable. Il contemplait avec un large sourire la table dressée près de lui et se réjouissait de l'exquise hospitalité de la comtesse.

– Bien le bonjour à vous, comtesse Berglind ! J'ai

dormi divinement, merci. Vous aussi, j'imagine : je vous trouve particulièrement radieuse, ce matin ! répondit-il en exécutant un parfait baisemain.

– Oh, prince, vous me flattez ! À mon âge, vous savez, on n'est plus guère habitué à certains compliments ! répliqua-t-elle avec coquetterie.

À ce moment entrèrent Tallia et Nives. En voyant leur tante et le prince dans un tel rapport de familiarité, elles tressaillirent.

– Bonjour, ma tante, bonjour à vous aussi, prince Herbert ! salua Nives non sans raideur.

Le prince lui ménagea un charmant sourire.

– Mes hommages, princesse ! Je vous en prie, appelez-moi simplement Herbert.

Il remarqua alors la fillette.

– Et vous, jeune demoiselle, qui êtes-vous ?

– C'est Tallia, ma cousine, rétorqua sèchement Nives.

D'un geste de la main, la comtesse Berglind encouragea ses nièces à la suivre :

– Mes chères enfants, venez ! Le petit déjeuner est prêt !

Tous les quatre s'assirent à la longue table rectangulaire. Au milieu de celle-ci trônaient deux magnifiques chandeliers, dont le socle était fait de deux oies

entrelacées. Ils étaient entourés d'assiettes de gâteaux petits et grands. Les convives commencèrent à se servir sans parler, feignant d'ignorer la lumière blanchâtre qui filtrait au travers des fenêtres et des murs.

– Quel fruit délicieux ! commenta le prince en goûtant une pêche blanche et juteuse. Je n'ai pourtant pas vu d'arbres à Arcandide. Cela vient-il aussi de la mer ?

– Pas exactement, répondit Nives à mi-voix.

– D'Arcandide, alors ?

– Oui, souffla la princesse, se limitant désormais aux monosyllabes.

– Et où les trouvez-vous ? Sous la glace ?

– En effet, intervint la comtesse. Il n'y a pas d'arbres à Arcandide, seulement un petit jardin et une étable pour les animaux. En vérité, l'ensemble du royaume en est dépourvu depuis qu'a brûlé la dernière de ses forêts, la forêt Calcinée. Il n'en reste en fait qu'un seul : le Grand Arbre.

– Et c'est un pêcher ? s'enquit le prince.

– Non ! poursuivit la comtesse. Nous lui devons ces cerises aussi…

– Comment cela ? Un même arbre ne peut produire deux variétés de fruits…

– Eh bien, si ! s'exclama candidement Tallia. Le Grand Arbre peut donner tous les fruits du monde.

La tempête de neige

Nives lui lança un regard enflammé. Le Grand Arbre était l'un des biens les plus précieux du royaume. Et elle n'aimait pas l'idée qu'un inconnu en entende parler.

Herbert s'en aperçut et tenta aussitôt de redresser le tir.

– J'imagine que c'est vous qui en prenez soin, Nives. Ses fruits sont si bons… s'extasia-t-il.

Nives était de plus en plus perplexe : pourquoi une telle gentillesse ?

– En réalité, vous faites erreur. C'est notre jardinier Helgi qui s'en occupe.

– Helgi ?

– C'est un homme d'une grande valeur, ajouta sa tante. Peut-être Nives pourra-t-elle vous emmener voir l'arbre plus tard.

Nives était furieuse. Le Grand Arbre était *son* arbre, et très peu de personnes en connaissaient l'existence.

N'ayant pas la moindre intention d'obtempérer, elle indiqua la fenêtre, derrière laquelle la tempête sévissait.

– Mais, ma tante, il neige très fort. Je ne suis pas sûre que ce soit une bonne idée.

Herbert intervint obligeamment :

– Si vous me le permettez, je me range à l'avis de la princesse.

La tempête de neige

La comtesse acquiesça, embarrassée. Elle avait complètement oublié cette chute de neige hors saison.

– Vous avez raison : aujourd'hui, il est impossible de bouger !

– On le dirait bien, commenta le prince en attendant ce qu'il savait devoir arriver.

– Prince Herbert, vous resterez bien à Arcandide jusqu'à la fin de la tempête ? demanda la comtesse en rompant de nouveau le cliquetis monotone des couverts sur les assiettes.

La tempête de neige

– Si vous m'y autorisez, j'en serais ravi ! Je vous re-
mercie.

S'appuyant contre le dossier de son siège, il regarda
les trois femmes autour de lui.

L'affaire était faite !

11
Un premier contact laborieux

Avec le prince Herbert au château, rien n'était plus comme avant pour Nives. Elle devait lui tenir compagnie et le distraire avec des récits sur le royaume et ses traditions. Ainsi lui expliqua-t-elle comment son père, le Roi sage, divisa en cinq le territoire qu'il avait conquis en l'arrachant au Vieux Roi, le tyran qui le gouvernait jusqu'alors. Elle lui raconta comment la magie disparut. Elle répéta sans aucune passion les histoires qu'elle pensait colportées dans chacun des Cinq Royaumes. Or le prince Herbert semblait les ignorer. Ou peut-être faisait-il semblant de ne pas les connaître uniquement pour lui faire plaisir.

– On dirait que vous ne savez rien des choses dont je

vous parle, prince. Peut-être dans votre pays ne relate-t-on pas ces événements ? demanda Nives.

– La terre de Lom se trouve aux confins des Cinq Royaumes et les nouvelles n'y parviennent qu'un bon moment après que les faits ont eu lieu. Mais c'est un plaisir que de vous écouter, princesse Nives. Continuez donc.

La comtesse Berglind avait eu une malencontreuse idée : obliger la princesse à jouer les guides en faisant visiter au prince les salles d'Arcandide, sans qu'elle pût d'aucune manière s'y soustraire.

Herbert sembla particulièrement fasciné par les murs de glace.

– Je n'ai jamais rien vu de semblable auparavant, avoua-t-il en effleurant de la main la fraîche paroi de l'un des couloirs.

Et de relever :

– C'est étonnant la propriété qu'a cette glace de protéger du froid, au lieu de le faire entrer.

– C'est de la glace éternelle, extraite des glaciers du royaume et vouée à rester ici. Si quelqu'un venait à l'emporter, elle fondrait comme n'importe quelle autre, expliqua la princesse.

– Très singulier.

Un premier contact laborieux

Nives appuya une main sur le mur et y fit glisser ses longs doigts.

– C'est la raison pour laquelle en la touchant on n'éprouve qu'un léger frisson. Sa consistance...

Voyant la main du prince se poser tout près de la sienne, Nives retint un instant son souffle.

– ... se rapproche davantage de celle du verre, termina-t-elle d'un trait.

Ils poursuivirent en silence le long des interminables corridors aux plafonds élevés du château. De temps à autre, Nives répondait aux questions d'Herbert à propos de tel objet ou portrait, ou encore des sculptures de cuivre des étages du dessous. Elle lui montra le coffret avec ses échantillons de pétales séchés, puis, à la demande du prince, ils s'arrêtèrent avec curiosité face aux animaux empaillés qui montaient la garde près des anciennes collections d'armes.

– Je crois que ces animaux vivaient dans la forêt avant qu'elle ne brûle.

– Votre père aimait la chasse ? s'enquit Herbert.

– Je ne pense pas. Ou alors... je... (Nives se mordit la lèvre.) Je ne sais pas. Je ne l'ai pas beaucoup connu.

– Et vous-même, aimez-vous cela ?

– Oh non !

Un premier contact laborieux

– Je l'aurais parié, dit le prince en souriant.

Nives sourit, elle aussi.

À mesure que défilaient les heures et les salles, elle ne pouvait lui dénier une certaine intelligence et le sens de la repartie. Par instants, elle le trouvait même sympathique.

– Cela a dû être difficile pour vous de vous retrouver seule à régner sur ces terres sauvages, observa Herbert à un moment. Mais je vous comprends, vous savez : moi aussi, j'ai perdu mes deux parents.

Nives s'immobilisa sur les marches de l'escalier qu'ils étaient en train de gravir. Personne ne lui parlait jamais de son père et de sa mère, peut-être pour ne pas l'attrister. Même sa tante évitait le sujet. La princesse ne savait donc pas comment réagir.

– En fait, je ne gouverne pas dans la solitude. Il y a ma tante, ainsi qu'Haldorr et Helgi, le personnel de service, Olafur… et puis mes jeunes cousines.

– Vous avez une autre cousine, que je ne connais pas ? s'étonna le prince.

– Elle s'appelle Thina et c'est la sœur aînée de Tallia. Et enfin, il y a Gunnar.

En entendant ce nom, Herbert se raidit légèrement.

– Le loup, fit-il.

Un premier contact laborieux

– Oui… le loup, sourit Nives.

– Un animal très intelligent.

– Plus que vous ne pourriez l'imaginer, dit-elle. Gunnar est comme un grand frère pour moi.

– Je vois que vous lui êtes très attachée.

Nives répondit spontanément :

– Oui, très !

Indiquant le sommet des escaliers, Herbert proposa :

– Que diriez-vous de poursuivre notre visite ?

– Volontiers.

En haut des marches se trouvait l'un des accès à la tour de la bibliothèque. Lorsqu'ils y entrèrent, Herbert resta littéralement sans voix. Bien que Nives y fût habituée, chaque fois qu'elle plongeait le regard dans ce puits vertical tapissé de livres, elle se sentait emportée, grisée par le parfum des pages jaunies, des parchemins et des reliures en peau savamment graissées.

Ils rêvassèrent entre les rayons, le nez en l'air.

– Tous ces ouvrages doivent contenir une quantité de mots colossale ! s'émerveilla le prince en élargissant les bras. Pensez, Nives, à toutes les découvertes que l'on pourrait faire si on avait le temps de tous les lire ! Mais même si nous passions notre vie enfermés ici avec la tempête qui continue à faire rage, nous ne vien-

drions pas à bout d'une infime partie de ces rayons, je le crains !

– Peut-être que si. Peut-être Haldorr les a-t-il tous lus, lui.

– Je ne pense pas, princesse. La vie est trop courte pour pouvoir faire tout ce que l'on veut.

– C'est vrai, Herbert.

C'était la première fois qu'elle l'appelait par son nom.

Le prince s'en aperçut et songea que, petit à petit, il gagnerait le cœur de cette glaciale jeune fille.

12
Le rêve

ives courait, courait sans s'arrêter. Autour d'elle, il neigeait et un vent glacial soufflait. Ses jambes, ses pieds et ses mains lui faisaient mal. Habituée aux rudes températures du royaume des Glaces éternelles, elle qui n'avait jamais souffert du froid de toute sa vie le sentait à présent dans tout son corps.

Au bout d'un moment, elle s'immobilisa, épuisée, et regarda autour d'elle : il n'y avait rien. Seulement le vent, la neige et le froid. Elle était perdue. Puis elle aperçut au loin une silhouette. On aurait dit un homme monté sur un cheval. Un cheval sombre et puissant. À mesure qu'il s'approchait, Nives reconnut les traits du prince Herbert. Il la rejoignit, mit pied à terre et l'enveloppa

dans une chaude fourrure. Nives monta en selle avec lui et ils s'élancèrent au galop dans la tempête. Ils chevauchèrent pendant un temps indéterminé jusqu'à ce qu'ils parviennent à l'entrée d'une grotte.

– Mais nous sommes au Grand Arbre ! s'exclama Nives, surprise.

Fixant le prince Herbert, elle lui demanda :

– Comment en connaissez-vous le chemin ?

– C'est vous qui me l'avez indiqué, vous vous souvenez ? répondit-il.

– Non, vraiment, je… n'en parle à personne. C'est un endroit secret.

– Nives, ma chère, entre mari et femme, il n'y a pas de secrets.

– Mari et femme ? Mais nous ne sommes pas unis ! s'alarma la princesse.

– Bien sûr que si ! Vous ne vous rappelez pas ?

Nives descendit de cheval et se précipita dans la caverne.

L'intérieur de celle-ci était plongé dans le noir.

– Enfin, que se passe-t-il ? demanda-t-elle à haute voix.

De l'obscurité surgit une lumière qui se rapprocha. C'était Helgi, le jardinier, amaigri et le regard éteint.

Le rêve

– Helgi, c'est vous ? Qu'arrive-t-il ? insista Nives.

Helgi ne répondit pas. Il se contenta d'éclairer le Grand Arbre avec sa lampe.

Nives écarquilla les yeux. L'arbre, son arbre bien-aimé, était complètement sec. Ses frondaisons n'étaient plus que branches tordues et dépouillées. Le tronc était creusé en divers points, comme dévoré par une maladie. Blessé et recroquevillé sur lui-même, le Grand Arbre ressemblait à un corps dont la vie se serait retirée.

La princesse se jeta par terre en pleurant. Elle étreignit une grosse racine presque entièrement découverte et cria de douleur. La fourrure qu'elle portait se mit à lui peser de plus en plus, au point de l'empêcher de se

relever. Elle devint comme une chape insoutenable, puis se mit à chauffer jusqu'à dégager une chaleur insupportable. Incandescente.

– Helgi, au secours, enlève-moi ça ! Je brûle ! Je brûle ! hurla Nives dans la caverne toute noire.

Quelqu'un ou quelque chose la secoua par le bras. Nives ouvrit les yeux et entrevit dans la pénombre de sa chambre le museau d'un loup.

– Gunnar ? Mais que… ? balbutia la princesse sans comprendre.

Puis, lentement, elle commença à reconnaître les objets de sa chambre à coucher. Elle comprit qu'elle se trouvait à Arcandide, dans son lit.

– Ce n'était qu'un mauvais rêve. Un horrible cauchemar. Oh, Gunnar ! s'écria-t-elle finalement en entourant de ses bras le cou de l'animal et en le serrant très fort.

Le loup ferma les yeux et lui lécha doucement les mains.

~*~

Le lendemain matin, la tempête semblait retombée, mais le ciel était encore sombre et menaçant et la température assez basse.

Après la nuit qu'elle venait de passer, la princesse était

éreintée. L'image du tronc sec du Grand Arbre s'était imprimée dans son esprit et ne semblait guère pouvoir s'en effacer.

– Nives ? lui demanda une petite voix familière depuis la porte d'entrée.

C'était, une fois encore, sa cousine Tallia.

Souvent, la fillette était celle qui réveillait Nives ; d'habitude, cela faisait plaisir à la jeune fille mais, ce jour-là, elle aurait aimé rester seule.

– Tu as vu que la tempête a déjà cessé ?

– Déjà… commenta Nives.

– Puis-je venir, moi aussi, aujourd'hui au Grand Arbre ?

– Non, je ne crois vraiment pas que j'irai.

– Mais notre tante a dit que…

– Je le sais et ça m'est égal !

Tallia se tut. Elle était très déçue. Mais Nives l'était encore plus, et en outre préoccupée.

La dernière chose dont elle avait envie était d'accompagner Herbert au Grand Arbre. Elle tenta de l'expliquer à Tallia, puis à sa tante dans la salle du petit déjeuner, mais avec de bien piètres résultats.

– Nives, tu ne peux absolument pas te dérober. C'est notre estimable invité, lui répondit la comtesse.

Le rêve

«Un invité, d'accord, mais que moi je n'estime guère!»
pensa Nives sans pouvoir l'exprimer ouvertement.

Ainsi, contre son gré, elle regagna sa chambre, choisit
une belle toilette, comme l'en avait prié sa tante, et l'enfila avec l'aide de ses deux jeunes cousines.

Il s'agissait d'une robe de lourde soie bleu clair qui
se resserrait en un bustier plus sombre. Ajustée par des
cordons de soie argentée, elle soulignait la minceur et la
gracilité du corps de Nives. Les manches retombaient
souplement sur ses mains, qu'elles couvraient à moitié.

– Tu es très belle, commenta Tallia quand elle fut vêtue.

– Veux-tu que j'arrange tes cheveux? lui demanda Thina.

– Oui, merci.

Thina sortit d'un tiroir un peigne en os avec un
manche en argent et se mit à coiffer la blonde et souple
chevelure de Nives, assise sur un tabouret. La jeune fille
adorait qu'on peigne ses cheveux, mais, depuis la mort
de sa mère, seule Thina le faisait de temps à autre.

~*~

Déjà prêt, Herbert patientait dans l'entrée du château,
sous un immense lustre de fer en forme de double
couronne. Sur le cercle du haut s'alignaient une série

de bougies blanches, dont certaines étaient plus consu-
mées que d'autres. Une lourde chaîne, fixée à l'axe
central, permettait de l'abaisser et de le remonter pour
les allumer.

Herbert faisait les cent pas, observant chaque détail
avec une attention avide, comme s'il s'efforçait d'étudier chacune des pièces d'Arcandide.

Il ne s'arrêta qu'en entendant des bruits de pas dans
l'escalier situé derrière lui. Il se retourna, certain de voir
Nives, mais découvrit Gunnar, le grand loup blanc.

– Ah, c'est toi, commenta le prince.

L'animal regarda Herbert et baissa la tête en un raide
signe de civilité. Puis il s'assit pour attendre, sans plus
accorder d'attention au prince.

– Tu es un serviteur fidèle, loup. Et on m'a dit que tu
es aussi un habile guerrier.

Gunnar tendit ses deux oreilles et bougea ses yeux de
glace pour intercepter ceux d'Herbert.

– Mais maintenant que je suis là, tu n'auras plus à
t'inquiéter. Tu pourras jouir d'un peu de temps libre.

Gunnar planta son regard dans celui du prince. Il fit
rouler sa puissante et nerveuse musculature et découvrit
imperceptiblement ses crocs.

Reculant d'un pas, Herbert demanda :

Le rêve

– Est-ce contre moi que tu grondes, sale bête ?

C'est alors que Nives, belle et éthérée, se mit à descendre les escaliers. Son visage n'avait aucune expression, mais elle était disposée à partir.

~*~

Le petit groupe traversa la cour du château. Gunnar marchait en tête, faisant crisser le gravier sous ses

pattes. Nives et Herbert le suivaient, à quelques pas de distance. Enfin, un second loup blanc, le museau barré d'une profonde cicatrice, fermait le cortège.

Dès qu'ils eurent franchi le pont-levis, Nives présenta un mouchoir au prince.

– Je vous prie de bien vouloir vous bander les yeux, prince Herbert, dit-elle.

– Comment, vous n'avez pas confiance en moi ? s'enquit celui-ci en prenant un air de surprise plus profonde que celle qu'il éprouvait réellement.

– Il ne s'agit pas de confiance, mais de principe. Cet arbre… est sacré pour notre royaume, car c'est notre seule plante, expliqua Nives.

– Vous ne voulez donc pas prendre le risque que quelqu'un l'abîme ou le dérobe.

– Je me réjouis que vous le compreniez, ajouta la princesse en lui tendant de nouveau le mouchoir.

Il le prit et regarda autour de lui. La plaine était recouverte d'une molle couche de neige fraîche. Haussant les épaules, le prince siffla pour appeler son cheval noir.

– Pardonnez-moi… l'interrompit de nouveau Nives, mais je crains que vous ne deviez laisser votre destrier au château.

– Enfin, je ne voyage jamais sans lui ! répliqua-t-il sèchement.

Puis, désignant la plaine qui s'étendait à l'infini devant eux jusqu'à la mer couleur de métal, d'un côté, et aux montagnes escarpées, de l'autre, il déclara :

– Ne me dites pas que nous devrons nous déplacer à pied ?

Nives se figea, mais ressentit aussi un soupçon d'amusement à voir Herbert aussi déconcerté.

– En fait, j'espérais que vous puissiez vous contenter d'un loup.

Adressant un regard complice à Gunnar, elle désigna le second loup blanc et attendit sans plus bouger la réaction du prince.

Herbert contempla silencieusement l'animal, sourit et dit :

– Je ferai comme vous le souhaitez.

– Bien, opina Nives.

– La seule chose… c'est que je n'ai pas la moindre idée de la façon dont on… monte un loup, déclara le prince en indiquant la bête qui lui était destinée.

– Ce n'est pas difficile. Il suffit de serrer vos bras autour de son cou et de vous laisser guider.

Le loup à la cicatrice se coucha près des pieds du prince, qui le dévisageait toujours d'un air perplexe.

Le rêve

– … serrer les bras autour de son cou…

Herbert semblait si emprunté que Nives ne put s'empêcher de sourire. Elle s'approcha de Gunnar et, d'un geste franc, sauta sur son dos, puis elle s'assura que le prince Herbert avait trouvé le courage d'en faire autant avec sa propre monture.

– N'oubliez pas le bandeau, prince.

– Je ne l'oublie pas, princesse.

Et ils partirent.

Les loups couraient à vive allure : Gunnar, monté par Nives, ouvrait la voie, tandis que le second loup, avec le prince aux yeux bandés, le suivait de quelques foulées.

Ils passèrent près de l'un des glaciers du royaume, dont l'incroyablement vaste coulée de glace s'étendait jusqu'à la mer.

Ils poursuivirent en toute hâte et, quelques heures plus tard, arrivèrent à destination.

Le Grand Arbre avait, chaque fois, stupéfié les rares visiteurs ayant eu l'honneur de visiter le Jardin d'hiver. Il en alla de même avec le prince Herbert, qui, une fois son bandeau retiré, fut époustouflé : il n'avait jamais rien vu de pareil sa vie durant.

Il observa les fruits qui variaient selon les branches,

le vaste pré qui tapissait la grotte et le couvert de lierre s'étalant sur ses parois.

La caverne était un pot-pourri de fleurs, grandes et petites, colorées et blanches.

– C'est une merveille ! s'exclama Herbert. Qui est l'artisan de tout cela ?

Autour de l'arbre, le jardin était entretenu avec un soin extrême : le pré était irrigué par des ruisselets à l'eau scintillante, et des morceaux d'écorce étaient disposés ici et là sur le sol pour protéger les fleurs en train de pousser.

Aucun fruit tombé ne jonchait le sol et ceux qui étaient accrochés aux branches semblaient mûrs à point.

– Notre jardinier, Helgi, répondit Nives.

– Il est là aujourd'hui ?

– Je ne saurais le dire, répliqua-t-elle évasivement.

En réalité, elle savait qu'à ce moment même Helgi, caché derrière quelque rocher, les épiait. Mais, connaissant sa nature réservée et solitaire, elle était sûre qu'il ne sortirait pas de son repaire.

Quoi qu'il en soit, l'arbre avait fait son effet sur la princesse.

Comme par enchantement, Nives semblait plus détendue et accommodante. Elle fit un signe à Gunnar,

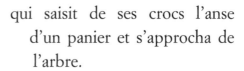

qui saisit de ses crocs l'anse d'un panier et s'approcha de l'arbre.

– Je vais cueillir quelques fruits à rapporter à Arcandide. Cela fera plaisir à ma tante et à mes cousines, expliqua-t-elle à Herbert.

– Permettez que je vous aide, proposa le prince en attrapant pour elle les pommes les plus hautes.

Gunnar n'était pas à l'aise. Observant la scène, il laissa échapper un léger grognement, que personne n'entendit.

Le loup blanc était capable de deviner le caractère des gens d'après leur odeur, or Herbert ne semblait pas en avoir. Il était complètement inodore, ce qui attisait les soupçons de Gunnar.

En outre, il percevait dans cet homme quelque chose de mystérieux, sans parvenir encore à s'expliquer ce qui le perturbait.

– Cela devrait suffire, finit par dire Nives, satisfaite de son panier désormais rempli. Encore deux cerises…

Alors qu'elle prononçait ces mots et détachait les

deux derniers fruits, ceux-ci glissèrent de ses mains et s'enfouirent dans l'une des manches de sa robe.

Leur chatouillement la fit sourire. Elle secoua sa manche et les deux cerises tombèrent par terre.

Herbert les ramassa aussitôt et les posa délicatement dans la paume de Nives en cherchant le regard de la jeune fille. Les yeux de la princesse se perdirent dans le bleu gris changeant de ceux du prince, et l'intensité de son regard manqua hypnotiser la jeune fille.

– Nul mot ne peut décrire la magie de vos sourires, déclara Herbert en lui caressant prestement la main.

Nives rougit légèrement sans parvenir à lui répondre.

Elle sentait sa peau brûler, comme au contact d'une flamme.

13
Des pas
dans la nuit

L e lendemain matin, un épais brouillard se leva. De temps à autre, des flocons de neige tourbillonnaient dans le vent. Ils se faisaient parfois denses au point de dissimuler toute autre chose. Le temps semblait s'être arrêté, comme si le château se fût trouvé isolé du reste du monde.

À Arcandide, tout était comme suspendu. La torpeur ambiante avait gagné les habitants du château. Chacun se sentait fatigué et nonchalant. Tout au long du jour, les gens de la cour se déplaçaient mécaniquement, accomplissant leurs tâches quotidiennes sans entrain ; quant aux nuits, elles étaient agitées et émaillées d'étranges incidents.

Des pas dans la nuit

– Je te dis que j'ai entendu des pas, la nuit dernière ! soutenait Arla, appuyée au chambranle de la porte de la cuisine.

– C'étaient sûrement les tiens, sœurette ! Quand tu marches dans ton sommeil, on dirait un pachyderme ! se gaussa Erla, qui, avec les années, s'était habituée à être régulièrement réveillée par le somnambulisme de sa sœur.

– Mais je ne marche pas dans mon sommeil ! rétorqua Arla, fâchée.

– Ah non ? Et comment se fait-il que, l'autre nuit, j'ai dû venir te récupérer dans la cour, au prix de trois volées d'escalier ?!

– Tu cherches seulement à te moquer de moi. Tu en profites parce que... le matin venu, je ne me rappelle rien, plaida Arla.

– En effet, tu oublies tout, donc assez de bêtises, compris ? tonna Erla en serrant les poings sur les hanches comme chaque fois qu'elle grondait Arla.

– Mais je te dis que je les ai entendus !

– Et alors ! Si c'était le cas... ce serait bien la première fois que tu te souviendrais de ce que tu as pu fabriquer pendant la nuit ! ironisa Erla.

– Mesdames, quelle est cette discussion ? dit une voix.

Des pas dans la nuit

Les deux cuisinières se retournèrent : c'était Olafur, dans son impeccable uniforme noir, d'où pointait le col amidonné de sa chemise blanche.

Il fut un temps où Erla trouvait le majordome fascinant et avait développé un certain penchant pour lui, peut-être dû à leur maigreur commune ou à leur prédisposition à l'ordre et à la discipline. Mais l'affaire avait tourné court avant même de commencer, quand Olafur, ignorant la portée de ses paroles, avait déclaré qu'il était allergique aux fleurs. Or les fleurs étaient la seule chose à laquelle Erla ne pouvait renoncer. Le malheureux Olafur ne pouvant approcher un pétale de ses narines sans se mettre à éternuer à tout-va, Erla s'était ravisée. Tout au moins était-ce l'explication qu'elle avait toujours fournie à sa sœur.

Quant à Arla, ayant toujours considéré le majordome comme un homme mortellement ennuyeux, elle ne s'était jamais efforcée de l'apprécier et s'en tenait simplement à ce qu'exigeait la politesse.

– Ah, bonjour, Olafur ! Nous ne discutions de rien en particulier, éluda Arla.

– Sinon du fait que quelqu'un se promènerait dans le château en pleine nuit, rapporta Erla. Je vous en prie, Olafur, expliquez-lui, vous aussi, que ce ne sont que des fariboles !

Des pas dans la nuit

– Qu'est-ce qui vous fait dire cela ? l'interrogea le majordome.

– Ma sœur est somnambule !

– Je voulais dire : qu'est-ce qui vous fait dire, Arla, que quelqu'un déambule la nuit dans le château ?

– J'ai entendu des pas.

– Arla, arrête à la fin ! gronda Erla.

– Des pas, dites-vous ? insista Olafur.

– C'est cela.

– En fait, moi aussi, j'ai perçu du bruit, confia alors Olafur avec son calme habituel.

– Sérieusement ? s'enquit Erla, les yeux écarquillés.

Arla jubila à double titre. On l'avait toujours traitée comme la plus stupide et incapable des deux sœurs uniquement parce qu'elle était petite et dodue. Mais Arla était convaincue d'avoir des talents insoupçonnés. C'est pourquoi ce genre de petites revanches la remplissait de fierté.

– Des pas très rapprochés, n'est-ce pas ? demanda-t-elle.

– Oui, c'est ce qu'il m'a semblé, continua le majordome.

– Excusez-moi, mais… qui cela pourrait-il bien être ? fit Erla, perplexe.

– Ça, je ne saurais le dire… répondit Olafur.

– De petits pas ? Comme ceux de l'une des fillettes ?

– Peut-être, reconnut le majordome.

– Faut-il en avertir la comtesse ? s'enquit encore Arla.

– L'avertir de quoi ? intervint Nives en entrant à cet instant.

Cela faisait plusieurs jours que la princesse ne pointait plus le nez dans les cuisines pour chiper un gâteau ou aider Arla et Erla en proposant une recette de son invention, comme la soupe de poisson bleu aux pêches sauvages. Celle-ci lui avait valu des reproches de sa tante, qui ne manquait jamais une occasion de lui rappeler les activités proscrites par l'étiquette.

– Bonjour, princesse ! la saluèrent Arla, Erla et Olafur en s'inclinant.

Quand la jeune fille s'approcha, les serviteurs remarquèrent ses yeux inhabituellement éteints.

– Vous sentez-vous bien, princesse Nives ? hasarda Arla, la plus audacieuse des deux sœurs.

– J'ai sûrement mal dormi, la nuit dernière.

– Moi aussi, l'informa Arla. Et j'ai entendu un bruit de pas dans les couloirs du château.

– Je tiens à préciser que je l'ai entendu aussi, compléta Olafur.

Nives, ne semblant nullement s'en alarmer, s'enquit distraitement :

Des pas dans la nuit

– Des pas, dites-vous ?

– Exactement, princesse ! Un vrai mystère, vous ne croyez pas ?

Nives releva lentement le visage et fixa les deux cuisinières d'un air à la fois doux et abattu, sans montrer de véritable intérêt pour la question.

On eût dit qu'elle n'avait pas capté un mot de ce qui s'était dit.

Des pas dans la nuit

Son regard perdu dans le vague laissait supposer qu'elle pensait à tout autre chose.

~*~

La jeune fille prit congé et se réfugia dans le salon Doré.

Debout à côté d'un divan jaune dont les coussins aux formes et motifs les plus variés débordaient au point de ne presque plus permettre de s'y asseoir, elle regardait au-dehors. Par une étrange coïncidence, elle était vêtue d'une robe couleur or qui avait appartenu à la reine.

Comme Nives ne portait jamais les vêtements de cour de sa mère, qui l'attristaient, la voir habillée ainsi était très surprenant. Elle disait toujours qu'elle commencerait à mettre ces toilettes le jour où elle trouverait un prince à épouser, autant dire jamais.

Ou bien avait-elle trouvé le prince qu'elle cherchait ?

Perdue dans ses pensées, la jeune fille perçut une présence derrière elle et se tourna vers la porte : Gunnar l'observait.

– C'est toi, Gunnar ? Quel plaisir de te voir ! le salua-t-elle d'une voix monocorde.

Des pas dans la nuit

Le loup fit quelques pas circonspects pour étudier la situation. Nives n'avait pas son expression habituelle : elle paraissait absente, presque hébétée.

– Je crains que nous ne puissions faire une sortie au Grand Arbre pour le moment… poursuivit-elle d'un ton inexpressif. Il neige de nouveau.

Gunnar baissa le museau en signe d'assentiment, mais, comme les cuisinières et Olafur un peu plus tôt, il trouva à Nives un air égaré. On aurait dit qu'encore endormie elle évoluait dans un rêve.

Le loup s'approcha et, après s'être assis, se blottit contre les pieds de la princesse.

Elle ne le caressa même pas. Ses bras pendaient raides le long de ses hanches, comme si elle était morte.

« Que se passe-t-il ? » se demanda Gunnar en la fixant d'en bas.

Toc toc ! On frappa à la porte du salon. Avec des mouvements d'automate, Nives alla ouvrir, mais ne vit personne sur le seuil. Soudain surgit Tallia.

– Bouuuuuuhhh ! hurla la fillette en levant les bras pour effrayer la princesse.

Nives sursauta et, comme par magie, parut se réveiller.

– Tallia, tu m'as fait une de ces peurs ! s'exclama-t-elle, sans savoir si elle devait s'indigner ou rire.

Des pas dans la nuit

– C'était le but ! répliqua sa cousine. Je t'ai eue ! Je t'ai eue !

Tallia sautillait à travers le salon en tenant du bout de ses petits doigts roses le bord de sa robe blanche.

Nives se passa une main sur le front comme pour dissiper une sensation de fatigue. Gunnar inclina la tête, surpris : quoi qu'ait eu la princesse, elle était redevenue elle-même.

Le loup se leva et huma l'air autour de lui. Il était certain d'avoir perçu une chose bizarre, une chose qui, avec ses tourbillons de neige, encerclait Arcandide et la princesse, une chose mystérieuse et mauvaise.

14

Le secret de Tallia

Les jours se succédaient, pareils les uns aux autres, en une suite infinie.

Il neigeait sans arrêt, tantôt plus, tantôt moins, mais les flocons ne cessaient de tomber. Les fenêtres d'Arcandide portaient les traces laissées par les nez de ses habitants, qui, curieux et un brin découragés, regardaient constamment au-dehors dans l'espoir de revoir bien vite le soleil.

L'inquiétante étrangeté de ce qui se passait ainsi que la bizarre apathie de la princesse n'échappaient à personne désormais. Nives était recluse dans sa chambre. Elle ne sortait que pour déjeuner, dîner et converser, au moins quelques heures par jour, avec Herbert de Lom. Non

pas à son initiative, mais à celle de la comtesse Berglind, qui, tablant sur le temps dont ils disposaient, comptait voir naître un sentiment entre Nives et Herbert.

Elle qui se montrait si soucieuse des formes et des bonnes manières voyait dans le prince de Lom un prétendant irréprochable, doté de tous les atouts pour allumer une petite étincelle dans le cœur glacé de sa nièce. En outre, la courtoisie exigeait que quelqu'un s'occupe de lui au fil des interminables journées de brouillard et de neige.

– Tu dois prendre une décision, ma chère enfant, répétait-elle à Nives dès qu'elle en avait l'occasion. Tu as le loisir de discuter avec lui chaque jour. C'est un beau jeune homme. Sa principauté est solide et sa famille d'ancienne lignée. Tu ne crois pas que tu pourrais…

Mais c'était comme s'adresser à une statue. Nives avait renoncé à répliquer. Ignorant le sujet, elle se contentait de se taire autant que possible. D'ailleurs, elle ne parlait à personne…

Les seules à être admises dans sa chambre étaient ses deux jeunes cousines, gaies, fraîches et sans préoccupation.

Mais même elles s'apercevaient que quelque chose

n'allait pas. Un après-midi, Thina, le front plissé et l'air interrogateur, lui demanda :

– Tu n'es pas contente, Nives ?

Assise dans son fauteuil bleu clair, la princesse contemplait ses cousines, juchées sur le lit en face d'elle : Tallia essayait de coiffer Thina, sans grand résultat. Entre deux coups de brosse, Thina cessait de crier et tentait de faire la conversation.

– Contente de quoi ? s'enquit la princesse.

– Comment ça, «de quoi»?! Le prince est si beauuu ! s'exclama la fillette un ton trop haut, peut-être à cause d'un nœud bloquant la brosse que Tallia maniait comme un râteau.

– Oh, le prince, je ne sais pas… répondit évasivement Nives. On ne parle que de ça, n'est-ce pas ? De moi et du prince, du prince et de moi.

Les deux sœurs se regardèrent avec incrédulité.

– C'est vrai ou non ? insista Nives.

– En effet… répondirent en chœur Tallia et Thina.

– Et qu'est-ce qui se dit à la cour ?

– Certains affirment que tu as peur de te marier et d'autres que tu as raison de l'ignorer.

– Vraiment ? Qui prétend cela ?

– Des domestiques. Ils disent que pour certaines choses, il faut suivre son cœur.

– Ah oui ! Le cœur ! Mais à propos… vous, mes cousines, vous ne trouvez pas le prince Herbert un brin trop… comment dire… mystérieux ? demanda Nives.

– Peut-être un peu, répliqua Thina, mais il n'en est que plus fascinant !

– Moi, il me semble seulement très bizarre, rétorqua sa sœur.

– Ah bon ? Et pourquoi cela ? l'interrogea Nives, qui avait du mal à comprendre si la petite fille parlait sérieusement ou cherchait simplement à être accommodante.

– Je le pense depuis hier, précisa celle-ci en soulevant sa brosse.

– Pourquoi ? Que s'est-il passé hier ? s'enquit Nives, intriguée.

– Eh bien, voilà, je ne sais pas si je peux vous le révéler.

– Tu le dois ! dit Nives d'un ton impérieux.

Le secret de Tallia

– Seulement si vous jurez de ne pas le rapporter à notre tante.

Nives et Thina échangèrent prestement un regard entendu et répondirent à l'unisson :

– On le jure !

Mais aux yeux de Tallia, ce serment ne suffisait pas. Elle fit tourner la brosse entre ses mains, puis décréta :

– Il faut que nous fassions le pacte à trois, sinon ça n'a aucune valeur.

Le pacte à trois était un marché qu'avait inventé Nives quelques années plus tôt, quand Thina avait failli dévoiler à la comtesse Berglind l'existence de la cachette secrète de la princesse. Il s'agissait d'une minuscule pièce dans les combles du château, où Nives cachait les objets bizarres qu'elle dénichait çà et là, ainsi que ceux qu'elle considérait comme les plus importants.

Une cuillère au manche en queue de poisson, la vieille montre de gousset qui marquait deux minutes à la fois, le coquillage provenant du royaume des Coraux, la très chaude couverture de laine de mammouth et un certain flacon de parfum qui, quand on le sentait, déclenchait des rires interminables. Tout un petit trésor sur lequel la princesse veillait avec le plus grand soin, loin des yeux des adultes. La crainte que sa tante le découvre l'avait

convaincue de la nécessité de conclure un pacte avec ses cousines, un pacte à trois, donc.

Si jamais l'une d'elles le violait, elle ne partagerait jamais plus de confidences avec les deux autres. Cette fois, c'était Tallia qui sollicitait leur vigilance : un autre grand secret devait être protégé.

– Je suis prête, déclara Nives.

– Moi aussi ! s'exclama Thina en sautant au bas du lit.

Le secret de Tallia

Les trois filles firent un cercle au milieu du tapis vert, se regardèrent dans les yeux et, tendant les bras, entrecroisèrent leurs mains comme les maillons d'une chaîne.

– De nous, en nous et avec nous ! Secret de maintenant, secret de toujours ! chantèrent-elles en chœur.

Puis elles levèrent les bras au ciel et se reprirent par la main. Après être restées une minute silencieuses, elles lâchèrent prise.

Les yeux des trois cousines se rencontrèrent, étonnés.

À présent, elles étaient prêtes à écouter le secret de Tallia.

~*~

Elles s'assirent côte à côte sur le sol de la chambre de Nives. La tante Berglind leur avait souvent répété de ne pas se vautrer par terre, mais certaines choses ne peuvent se faire qu'ainsi : on ne peut guère raconter un secret commodément installé sur un divan !

– Nous sommes tout ouïe, Tallia ! l'encouragea Nives.

– On meurt d'envie de savoir ! ajouta Thina.

– D'accord ! D'accord ! Je réfléchis pour savoir par où commencer ! Ça y est, mais pas de questions, compris ? dit Tallia en levant une main.

Le secret de Tallia

Nives et Thina acquiescèrent en silence.

Alors Tallia prit une profonde inspiration et attaqua son récit.

– Tout s'est passé la nuit dernière quand j'ai quitté ma chambre…

– En pleine nuit ?! Pourquoi ça ? l'interrompit aussitôt Thina, qui parfois ne pouvait s'empêcher de jouer les grandes sœurs.

– J'avais dit : pas de questions !

Nives foudroya Thina du regard et lui prit la main pour l'inciter à se taire : elle tenait à connaître le secret de Tallia, un point c'est tout.

– La nuit passée… reprit Tallia, je suis sortie de ma chambre pour manger un petit en-cas.

Cette fois, Thina ne souffla mot, se limitant à fixer sa sœur comme si elle l'avait surprise en train de faire une chose terrible.

– Le couloir était désert et silencieux. Tout était noir. Comme dans un four. Je me suis approchée de l'escalier pour descendre et, à ce moment, j'ai entendu un bruit de pas venant de l'étage au-dessus.

Nives et Thina se redressèrent, raides de peur.

– J'ai attendu sans bouger. Puis j'ai reconnu la voix d'Arla.

– Elle est somnambule, déclara Thina.

Le secret de Tallia

– C'est ce que j'ai pensé
aussi et je me suis calmée. Je
suis descendue tout doucement et je suis allée vers les
cuisines. Mais… pendant

que je fouillais dans le garde-manger au fond de la pièce,
j'ai entendu d'autres pas. Beaucoup plus pesants que les
premiers. Différents.

– Alors qu'as-tu fait ? s'enquit Nives.

– Je me suis cachée, dit Tallia. Ce pouvait être n'importe qui, même notre tante ! Et en fait…

– En fait, qui était-ce ? demanda nerveusement Nives.

– Le meilleur vient maintenant, annonça Tallia en
jouant avec sa brosse pour trouver les mots justes.

– Ne nous fais pas languir, l'implora Thina.

– D'accord, d'accord. Pendant que je me cachais dans
la partie la plus basse du garde-manger, quelqu'un est
entré dans la pièce toute noire. D'en bas, je n'entre-
voyais qu'une silhouette : elle portait une cape et une
épée, qui brillait dans l'obscurité.

– Le prince Herbert ! Ce ne pouvait être que lui !
s'écria Nives.

– Jure-le ! s'exclama Thina en plongeant son regard
dans celui de sa sœur.

– Je crois bien que c'était lui, reconnut Tallia. En particulier parce que j'ai pensé que c'était le seul à porter une épée à la ceinture, ici au château.

– Mais que faisait-il dans les cuisines à pareille heure ? se demanda Nives.

– Peut-être cherchait-il, lui aussi, un petit quelque chose à manger… hasarda Thina.

– Je ne crois pas. On aurait dit qu'il était prêt à sortir.

– Des cuisines ?

– C'est ça qui est bizarre, commenta Tallia. Je l'entendais chuchoter, mais sans réussir à comprendre ce qu'il disait ni avec qui il parlait, parce qu'il était seul. Et il utilisait une langue étrange.

– Étrange comment ?

– Difficile à dire : une langue que je n'ai jamais entendue au château. Plutôt que parler… il me semble qu'il chantait… une sorte de ritournelle.

Nives tressaillit et un frisson lui parcourut l'échine. Inopinément, son passé remonta en bloc, lourd d'un secret qu'elle ne pouvait révéler à personne. Et si lointain qu'elle avait cru pouvoir l'oublier ou le dissimuler au fond de sa petite pièce dérobée.

– Tu es sûre que c'était une ritournelle ? demanda la princesse d'une voix tremblante.

– Oui. Une sorte de poème, confirma sa cousine avec certitude. Et il la répétait tout seul, en pleine nuit. Mais ce n'est pas tout : quand il est parti, j'ai trouvé ça sur le sol de la cuisine…

Tallia sortit alors triomphalement de la poche de sa robe une chose qu'elle montra aux deux autres.

C'était la plume d'un corbeau rouge.

15

Le plan de Nives

Ce soir-là, les pensées se bousculaient dans la tête de Nives.

Elle s'allongea sur son lit et fixa les étranges formes lumineuses que la lampe de sa table de chevet projetait sur les murs de glace. Elle se mit alors à songer à tous ses souvenirs. Y compris les plus tristes. Il lui suffisait de fermer les yeux pour voir apparaître devant elle le visage de ses parents et de ses sœurs, qu'elle avait à peine connus. Puis venait celui d'Herbert. Elle battit des paupières pour écarter cette image. Avant le récit de Tallia, elle n'avait rien de tangible contre lui, à part le fait qu'elle ne voulait pas se marier, et encore moins avec lui. Mais les choses avaient changé.

Le plan de Nives

Elle réfléchit à tous les incidents bizarres qui étaient survenus en même temps que l'arrivée du prince : l'attaque de Calengol et de ses corbeaux, le changement radical de temps et, pour finir, sa fatigue permanente. Alors que, quelque temps plus tôt, elle courait et chevauchait Gunnar inlassablement, à présent elle n'avait pas même envie de sortir de sa chambre. La nuit, elle dormait mal et son sommeil était lesté de rêves pénibles, qu'elle n'arrivait pas à se rappeler le matin venu, mais qui la laissaient épuisée.

Nives ne savait pas vraiment quoi faire.

Elle prit un livre sur la table de chevet. Sur sa couverture en cuir turquoise était imprimé en lettres d'or : *Petits poèmes pour une bonne nuit.*

Il s'agissait d'un recueil très spécial, que sa mère lui avait donné avant de mourir. Il contenait divers poèmes à lire avant de s'endormir pour s'assurer un bon sommeil. La particularité de cet ouvrage, lui avait expliqué sa maman, était que chaque poème était écrit de manière à inciter l'esprit à élaborer un certain type de rêve. Tous ses textes étaient beaux, la seule chose que Nives avait à faire était de choisir le bon. L'attention de la jeune fille fut attirée par celui qui s'intitulait « Rêves étoilés » et qui disait :

Le plan de Nives

Étoile lointaine
Étoile voisine,
Oriente le songe
De cette blondine.

Mène-la là-haut
Parmi tes pareilles
Pour que dans le ciel
Elle s'émerveille.

Étoile lointaine
Étoile voisine,
Qu'avec ce poème
Ses espoirs culminent.

Veille sur ses nuits,
Éclaire son chemin.
Que chaque réveil
Porte un beau matin.

Nives sourit de tant d'ingénuité. C'étaient des vers pour les petits, mais doux et chargés de souvenirs de son enfance. Des souvenirs certes confus, mais importants.

Le plan de Nives

Chaque fois qu'elle relisait ce poème, il lui semblait sentir à nouveau la chaleur et l'affection de sa mère. Comme si celle-ci était encore vivante à ses côtés. Peu importe qu'il fonctionnât ou pas : elle le lut deux fois et s'endormit, confiante.

~*~

Le lendemain matin, Arcandide se réveilla illuminée par un soleil timide. La glace des murs brillait faiblement sous la lumière claire rayonnant du Haut Plateau oriental. Le soleil était déjà haut, et, depuis les premières heures du jour, le château débordait d'activité. Comme à l'accoutumée, les loups, qui montaient la garde, scrutaient l'horizon.

Pour la première fois depuis plusieurs jours, pas le moindre flocon de neige. Le temps étant enfin devenu serein, les grands volcans pointaient derrière le haut plateau.

Quand Nives ouvrit les yeux, elle se trouva plongée dans une étonnante lumière orangée.

Elle se frotta les yeux pour être certaine de ce qu'elle voyait. Elle s'était tellement habituée à la grisaille engendrée par les tempêtes de neige qu'elle n'osait y croire.

Le plan de Nives

D'un geste, elle repoussa ses draps blancs et frais jusqu'à ses pieds, puis, étrangement pleine d'énergie, jaillit du lit comme un éclair.

Attirée par la lumière et impatiente de s'assurer qu'il ne s'agissait pas d'une simple lueur, elle se précipita à la fenêtre.

Elle écarta les lourdes tentures bleu ciel sur lesquelles perlaient de petites gouttes d'humidité et fut sidérée : le soleil !

Le plan de Nives

– Enfin ! s'exclama-t-elle avec satisfaction en esquissant un timide sourire, le premier depuis longtemps.

Puis, regardant le petit livre de poésie abandonné sur sa table de chevet, son visage s'éclaira et elle pensa fugacement : « Merci, maman ! »

Les couleurs de sa chambre semblaient, elles aussi, refléter la bonne humeur de Nives. Ce matin-là, les reflets gris bleu des murs et les tons neutres des meubles en pierre dégageaient une impression différente et enfin plaisante, après tant de réveils sombres et mélancoliques.

Nives voulait revêtir de beaux vêtements, dans lesquels elle pût se sentir heureuse, ainsi se dirigea-t-elle prestement vers sa grande armoire de bois blanc. Elle ouvrit l'une des portes ornées d'arabesques d'or, se hâta de passer en revue ses robes et choisit la pourpre, celle aux larges manches transparentes et à la taille haute, marquée par une fine ceinture de la même couleur. Devant comme derrière, cette toilette était légèrement échancrée, mettant en valeur son magnifique cou.

Sans même attendre ses cousines, qui habituellement passaient la voir pour le salut du matin, la princesse descendit à toute allure à l'étage inférieur et gagna la salle du petit déjeuner.

Dès qu'elle entra, elle se heurta au regard du prince

Le plan de Nives

Herbert, déjà assis à la grande table rectangulaire de bois sombre en compagnie de la comtesse Berglind. Tous deux bavardaient aimablement.

Son arrivée les réduisit subitement au silence, mais Nives, ignorant le regard envahissant d'Herbert, fit comme si de rien n'était. Elle salua courtoisement l'une et l'autre et s'installa à sa place en cherchant à dissiper la pénible sensation qui la gagnait chaque fois qu'elle voyait le prince.

Elle aperçut, posé sur un plateau devant elle, une petite pierre précieuse, rouge comme un rubis.

– Par l'effet du hasard, elle est exactement de la couleur de votre robe, princesse Nives, murmura Herbert d'une voix enjôleuse.

Nives se figea, glacée.

Comme le prince avait-il pu savoir qu'elle porterait justement cette robe ? La seule idée qu'il la connaisse à ce point lui inspira une terreur mortelle. On eût dit qu'il pouvait lire dans ses pensées. Cette impression, qui en eût enchanté d'autres, était pour elle tout simplement abominable.

Nives se contenta d'observer la pierre sans même songer à la prendre dans sa main.

– Qu'est-ce que cela signifie ? demanda-t-elle.

Le plan de Nives

– C'est un cadeau pour vous, répondit le prince Herbert.

– Un cadeau ? Pour quelle raison ?

– Mais il est merveilleux, ma chérie ! hulula sa tante comme une petite chouette perchée sur la haute chaise de cuir en face d'elle.

Nives fixa le prince.

– Avez-vous bien dormi, prince Herbert ?

– Parfaitement, merci.

– Et rien ne vous a dérangé ? Des bruits ? Des pas résonnant mystérieusement dans le couloir ? Des portes s'ouvrant et se fermant ?

– Enfin, que racontes-tu là, Nives ? s'alarma aussitôt la comtesse.

La princesse n'avait pas détaché ses yeux de ceux du prince, dans l'espoir d'y surprendre la confirmation de ses soupçons.

Elle continua à le fixer pour susciter une réaction, un fléchissement.

Mais Herbert se contenta de sourire.

– Non, princesse, merci de vous en informer, mais à la vérité j'ai dormi longuement et paisiblement.

Agacée, Nives se leva brusquement de sa chaise.

– Je vous prie de m'excuser ! s'exclama-t-elle en s'éloignant de la table.

Le plan de Nives

Cette rencontre avait anéanti toute la gaieté de son réveil.

– Nives… ma chère… s'indigna derrière elle sa tante, la bouche à moitié pleine.

Mais la jeune fille se ruait déjà auprès de Thina et de Tallia.

Elle avait besoin d'elles.

16

Le piège

— Tu es sûre que ça fonctionnera ? murmura Thina à Nives.

— Certaine ! répondit celle-ci à voix basse.

Toutes deux s'étaient drapées dans de lourdes capes noires à capuchon. Comme elles étaient couvertes de la tête aux pieds, seule la fente de leurs yeux restait visible. Dans la chambre des fillettes, les deux cousines se livraient à des essais pour tendre un piège à Herbert, le prince noctambule.

Jugée trop jeune pour participer à une entreprise aussi risquée, Tallia boudait sur une chaise dans un coin de la pièce.

Malgré tout le mal qu'elle s'était donné pour fléchir la princesse, il n'y avait rien eu à faire.

Le piège

— Ce pourrait être dangereux ! lui avait expliqué Nives.

— Beau témoignage de gratitude ! Si je n'avais pas été là, vous n'auriez même pas su que le prince s'adonnait à des promenades nocturnes, avait répliqué la fillette.

— C'est vrai : ton aide a été très précieuse !

— Et donc ? Je peux venir ?

— N'insiste pas, petite sœur ! avait confirmé Thina. Il est bien plus fondamental que quelqu'un reste ici pour garder notre chambre pendant que Nives et moi serons parties.

Le piège

– Et ce doit être une personne de confiance ! avait ajouté Nives pour finir de persuader Tallia.

Mais celle-ci, absolument pas convaincue de l'importance de la mission qui lui était confiée, continuait à fixer le sol sans piper mot.

Le dîner venait de finir. L'obscurité grise et dense avait absorbé le pâle soleil de la journée. La nuit tombait silencieusement sur Arcandide, où tous céderaient bientôt au sommeil. Tous, sauf le mystérieux promeneur nocturne.

~*~

Gunnar ne parvenait pas à dormir.

Dès qu'il fermait les yeux, il était tourmenté par des images dont il ne voulait pas se souvenir. Il secouait alors la tête et errait dans les couloirs du château ou montait la garde devant la chambre de la princesse Nives en tentant de penser à autre chose.

Il finit par entrer dans le salon des Miroirs.

Immobile face à l'une des glaces, il se regarda. Comme cela lui arrivait de temps à autre quand le soleil avait disparu et que personne ne pouvait le voir, le loup blanc se contempla sous une tout autre apparence. Au lieu du loup puissant à la fourrure blanche et aux pattes armées

de griffes, Gunnar voyait le reflet d'un jeune homme, grand et mince. Un homme en chair et en os, sans queue ni crocs et qui ne dégageait assurément pas l'âpre odeur du poil de loup.

Il voyait l'ancien Gunnar, celui qui un jour avait été transformé en loup.

C'est dans la solitude de la nuit qu'il lui était le plus pénible d'affronter sa mémoire. Et la torpeur ainsi que la fatigue de ces journées de neige rendaient l'épreuve encore plus rude. À la douleur liée au passé se mêlait l'inquiétude face à l'avenir : le prince Herbert, la fête de fiançailles, les craintes de Nives.

Le piège

C'était presque insoutenable. Sans détourner le regard, Gunnar avança vers le miroir. Il se força à tout se rappeler. De la pointe du museau il toucha la glace, tandis que l'homme dans le miroir serrait les poings.

~*~

Bien des années plus tôt, Gunnar portait un autre nom. C'était un garçon insouciant et heureux, qui travaillait dans un village au-delà des montagnes. Il aidait son père à bâtir des maisons.

Un jour, le long de la route qui descendait de la carrière au village, il fut arrêté par des bandits venus d'un royaume lointain. Il s'agissait de cinq hommes noirs, imprégnés d'une forte odeur de grotte, comme s'ils avaient long-temps vécu sous terre. Des hommes aux yeux blancs, des étrangers.

Ils le volèrent, le ligotèrent et le jetèrent dans le cratère d'un volcan éteint. Gunnar pensa qu'il était mort, mais il survécut.

Il étancha sa soif en léchant la glace environnante en espérant que tôt ou tard quelqu'un viendrait défaire ses liens. Mais personne ne vint.

Puis, tandis que ses forces l'abandonnaient, il entendit

une voix de femme et perçut une présence non loin de lui. Il sentit une odeur de soufre, de lave aux relents âcres. Il essaya de se tourner malgré ses cordes pour voir de qui il s'agissait. De son œil resté indemne après sa chute, il entrevit une forme revêtue de fourrures de loups et à la peau sombre, qui se confondait avec les parois du cratère.

– Je m'appelle Alifa, chuchota l'ombre. Et ce lieu est le mien.

Elle avait une voix rauque et très profonde qui semblait monter tout droit des entrailles de la terre.

– Toi aussi, tu es à moi, ajouta-t-elle.

Elle s'approcha de Gunnar et, de ses longs doigts qui faisaient penser à des éclats de roche, caressa sa peau. Alifa était la gardienne du volcan.

Gunnar tenta de réagir, mais il était trop faible. Alifa glissa plus près et se mit à tourner autour de lui. Elle se pencha sur le visage de Gunnar et le fixa de ses yeux rouges et liquides comme de la lave.

– Tu es à moi, mais tu te meurs, lui déclara-t-elle.

Dans le salon des Miroirs d'Arcandide, Gunnar ferma les yeux. Et malgré ses efforts pour se rappeler la suite, seuls l'obscurité, le froid et l'odeur de soufre lui revenaient. Il savait qu'elle l'avait soulevé de terre et porté plus bas, dans le sein même du volcan où elle vivait.

Le piège

Il se souvint ensuite de la voix d'Alifa qui le réveillait et susurrait :

– Homme, je peux sauver ta vie, mais ce ne sera plus celle d'avant.

Gunnar ne comprenait pas. Alifa poursuivit :

– Ta vie s'en va, car tu étais un être faible et sans défense. Je peux faire de toi une créature forte et terrible. Ta vie continuera, mais jamais plus un humain ne pourra te voir sous ton apparence d'avant. Tu deviendras un loup, un loup blanc. Et une fois métamorphosé, tu ne pourras jamais révéler à quiconque, d'aucune façon, que tu m'as rencontrée, ni les conditions de notre accord. À toi de décider !

Gunnar était bouleversé et n'arrivait toujours pas à comprendre. Un loup ? À quoi cela pouvait-il rimer de vivre comme un loup ? Il était perdu : quelle vie pourrait-il mener ? Il se rappela alors les paroles de sa mère à la naissance de son frère : «La vie est une richesse, mon fils. La plus grande de toutes !»

Et il fit son choix.

– J'ai décidé, répondit-il péniblement.

– Quoi donc ?

– De devenir un loup.

Gunnar rouvrit les yeux.

Le piège

Ses souvenirs s'évanouirent d'un seul coup.
Et le loup blanc s'en repartit dans le noir.

~*~

Le prince Herbert comptait les minutes qui restaient avant qu'il fît nuit noire. Il attendit tranquillement que chaque lumière et chaque bruit s'éteignent et, comme tous les autres soirs, se leva, enfila des vêtements et une cape sombres pour mieux se cacher dans les couloirs déserts du château endormi. Ensuite, il tira de son maigre bagage une petite boîte au couvercle percé et l'entrouvrit.

Il vérifia que son contenu était à sa place, chantonna tout bas une sorte de ritournelle dans une langue inconnue, puis sourit, satisfait. Il referma la boîte et se dirigea vers la porte de sa chambre. Enfin, sans bruit, il se faufila dehors et se perdit dans l'obscurité.

Le piège

Nives et Thina ne bougeaient pas d'un cheveu. Toutes deux respiraient au même rythme lent. Elles étaient blotties sous l'escalier en colimaçon, là où celui-ci déployait sa plus large courbe avant de se poser sur le parquet du rez-de-chaussée, non loin de l'entrée du palais.

C'était une cachette parfaite, invisible de quelque angle que ce soit, d'où l'on pouvait surveiller aussi bien les couloirs menant aux cuisines, plus haut, que ceux conduisant aux salons.

Tout était plongé dans la pénombre nocturne. L'unique lumière provenait de deux bougies plantées dans de hauts chandeliers d'argent, à mi-hauteur du mur du couloir principal. Au moindre courant d'air, les inquiétants jeux d'ombre faisaient bondir le cœur des deux filles.

Dans le château, le silence était complet, presque assourdissant, les empêchant d'effectuer le moindre mouvement. L'obscurité rendait vaine jusqu'aux tentatives de se regarder. Ainsi, toutes proches mais isolées, Nives et Thina attendaient d'entendre résonner les pas mystérieux.

Elles restèrent là un temps interminable, immobiles comme deux statues antiques. Or, juste au moment où elles pensaient abandonner cet étrange jeu et retourner dans leurs chambres, elles perçurent enfin du bruit.

Le piège

C'étaient bien des pas, très légers et rapprochés. Thina saisit la main de Nives et la serra fort.

Leurs deux cœurs battaient à l'unisson. Quelqu'un descendait lentement l'escalier.

Les deux filles se figèrent. Et après que le bois des marches eut craqué sous le dernier de ces pas, Nives pointa le bout du nez pour voir à qui ils appartenaient.

Non sans déception, elle découvrit que ces pas mystérieux étaient ceux de Gunnar.

Une fois parvenu en bas de l'escalier, le loup s'engagea dans le couloir sans s'apercevoir de leur présence : il semblait absorbé par la recherche de quelque chose.

Gunnar inspecta l'entrée, jeta un long coup d'œil au-delà de la grande porte et s'éloigna de la même allure précautionneuse. Nives et Thina attendirent encore.

Elles n'eurent pas à patienter longtemps avant d'entendre de nouveaux pas. Ceux-ci étaient plus pesants et scandés par un léger bruit métallique, comme celui d'une petite boucle battant contre le cuir de bottes.

C'étaient les pas d'un homme.

Le nouveau venu descendit l'escalier plus lentement encore que Gunnar, et veilla, une fois franchie la dernière marche, à ne pas trop peser sur le sol, qui semblait gémir à chacune de ses enjambées.

Le piège

Pour la deuxième fois, Nives se pencha vers la lumière pour voir de qui il s'agissait. Lorsque ses yeux, rapides comme ceux d'un félin, se posèrent sur la cape qui couvrait cette silhouette, elle n'eut plus aucun doute : c'était le prince Herbert.

Nives serra fort la main de Thina, qui comprit le message et essaya de tendre le cou à son tour. Mais Nives l'arrêta et pressa une main sur la bouche : si elles voulaient découvrir ce qu'il faisait, elles ne devraient pas se faire voir.

17
Bas les masques !

Après avoir quitté le salon des Miroirs, Gunnar était parvenu à la chambre de Nives. À sa grande surprise, il la trouva vide. Seules les nombreuses feuilles conservées par la princesse dans des cadres suspendus aux murs montaient la garde.

C'était des feuilles de chacune des plantes du Jardin d'hiver, que Nives ramassait et faisait soigneusement sécher dans son herbier.

Ensuite, Gunnar alla vérifier que les jeunes comtesses étaient bien dans leur lit, mais ne vit que Tallia, qui, dans son sommeil, serrait un gros bâton pour parer à tout danger. Gunnar le lui retira et referma délicatement la porte avant de se remettre à chercher.

Bas les masques !

Troublé, il descendit dans l'entrée, où il entendit respirer. Il s'immobilisa à la lueur tremblotante des bougies et observa les ombres des vases de fleurs sous le grand escalier en colimaçon. Il lui sembla que quelqu'un était tapi là-dessous, mais un bruit de l'autre côté de la grande porte attira son attention et le convainquit qu'il ne s'agissait que d'un courant d'air.

Gunnar se mit à avoir peur. Ses sens de loup, habituellement si aiguisés, étaient comme engourdis.

Il ne percevait rien. Et derrière la grande porte, il ne trouva rien.

« Où es-tu donc passée, Nives ? » pensa-t-il.

Il contrôla tout le rez-de-chaussée, puis remonta, reprenant son inspection aux étages les plus élevés, juste sous les toits.

Pourquoi Nives était-elle sortie de sa chambre ?

Il entreprit de vérifier aussi les autres pièces : la chambre de la comtesse, celle d'Olafur… la bibliothèque.

Et pour finir celle du prince Herbert.

Elle était vide.

Au cœur de la nuit, Gunnar se mit à galoper à travers les couloirs d'Arcandide à la recherche du prince.

~*~

153

Bas les masques !

Le prince de Lom semblait flâner sans but précis à l'intérieur et à l'extérieur du château.

Lorsqu'il s'aperçut qu'il était suivi, il s'arrêta et demanda à haute voix :

– Qui va là ?!

Il se trouvait dehors, à quelques pas du jardin. Les murailles d'Arcandide projetaient devant lui de longues ombres encore plus sombres que la nuit.

Une silhouette encapuchonnée émergea de l'obscurité.

Herbert mit brièvement la main à son épée.

Nives abaissa alors son capuchon pour se faire reconnaître.

– Ah, princesse, c'est vous. Vous m'avez… effrayé !

Nives sourit.

– Pourquoi cela ? s'enquit-elle.

– Ce n'est guère normal d'être…

– … suivi pendant qu'on erre en pleine nuit à travers le château ? le coupa Nives.

Bas les masques !

Le prince ne sembla pas désarçonné.

– J'ai du mal à dormir. Je passe une bonne partie de la nuit à marcher dans l'espoir de me fatiguer suffisamment, allégua le prince.

Nives désigna son épée :

– Et vous sortez toujours armé quand vous essayez de vous fatiguer suffisamment ?

Derrière la jeune fille retentit un petit rire. Le prince scruta les buissons et commenta :

– Vous n'êtes pas seule, n'est-ce pas ?

– Viens ici, Thina ! appela Nives.

La jeune comtesse sortit de l'ombre en pressant une main sur sa bouche.

– Excuse-moi, Nives ! Je ne voulais pas… murmura-t-elle.

– Ça ne fait rien.

Le prince Herbert fit glisser son regard de l'une à l'autre, sans perdre contenance.

– Qu'est-ce qui me vaut cette très spéciale attention de votre part ?

– C'est ici mon château, prince Herbert. Et j'aime savoir tout ce qui s'y passe, y compris les promenades nocturnes.

– Magnifique jardin que celui d'Arcandide ! dit le jeune homme pour amadouer la princesse.

Bas les masques !

– Vous y cherchez quelque chose de particulier ? l'interrogea Nives.

– Le sommeil, vous dis-je !

À ces mots, Thina bâilla, la bouche grande ouverte.

– Les petites filles ne devraient-elles pas dormir à cette heure ? demanda le prince.

– Ce n'est pas votre affaire. Répondez plutôt à ma question : pourquoi déambulez-vous ainsi avec votre épée ? insista Nives.

– Par habitude, je le crains. Il est toujours dangereux de sortir la nuit…

– Pas à Arcandide ! rétorqua Nives. Pas avant votre venue !

Ce disant, elle lui tourna le dos.

– J'espère que vous quitterez bientôt le château, prince Herbert ! ajouta-t-elle avant de s'éloigner.

– Si le temps le permet, je m'empresserai de le faire, répondit-il d'un ton mielleux.

Juste à cet instant, tout en haut du rempart derrière lui, se posa un corbeau rouge.

~*~

Bien loin de là, mille et une petites lucioles éclairaient

une caverne. Leur faible lumière se reflétait dans le miroir brillant du lac gelé qui s'étendait devant elle.

Cinq corbeaux, juchés sur leur perchoir en bois de cerf, lissaient leurs ailes rouge feu.

Ils attendaient le retour de leur chef.

– Parfait ! Tout est parfait ! croassa, quelque temps après, une petite voix dans le fond de la grotte.

Précédée de sa gigantesque ombre, la silhouette

sautillante de Calengol s'approcha de l'entrée. Calengol siffla une seule fois, très fort, et le corbeau qui était avec lui alla retrouver ses cinq frères. Puis les six volatiles se mirent au garde-à-vous en faisant battre leurs ailes.

Rejoignant ses troupes, la verte créature gronda :

– Le jour de notre retour est imminent…

Calengol caressa le dos des corbeaux, lissa leur plumage rouge et déclara :

– Enfin, le château va s'ouvrir ! Il s'ouvrira pour nous !

Il souleva l'un des oiseaux de leur perchoir osseux et le regarda droit dans les yeux.

– Car c'est à nous de vivre dans ce château. À nous, n'est-ce pas ? Nous en avons bien plus le droit qu'eux !

Le corbeau croassa.

– Ils ont détruit notre forêt, brûlé nos nids. Pas vrai ?

De nouveau, le corbeau croassa.

C'était arrivé bien des années plus tôt. Avant que n'éclate la guerre, Calengol vivait dans la dernière vaste forêt du Grand Royaume. Durant le conflit, celle-ci avait brûlé, et avec elle la maison de Calengol et tous ceux qu'il connaissait.

Une lutte stupide entre le Vieux Roi et le chevalier appelé le Roi sage. Le père de Nives.

Bas les masques !

À la seule pensée du Roi sage, Calengol soupira, siffla, serra les poings et laissa s'envoler son corbeau rouge.

Pourquoi le roi avait-il anéanti l'unique forêt qui restait dans le Grand Royaume ? Par accident ? Par erreur ? Ou était-ce le prix à payer pour gagner la guerre ? Calengol l'ignorait. C'était une créature simple : il vivait avec les corbeaux et haïssait les hommes. Il détestait la cour d'Arcandide et la fille de ce Roi sage qui avait détruit sa vie. Lui, le seul survivant de la forêt, avait erré pendant des années en couvant un projet de vengeance contre le souverain. Il avait marché longtemps, s'était caché de tous jusqu'à disparaître, vivant comme si la forêt existait toujours. Un jour, depuis les cendres d'un arbre frappé par la foudre, il avait entendu monter, d'un nid échoué sur un rocher, les piaillements d'oisillons désespérés.

Pour Calengol, ce fut un signe.

Dans le nid se trouvaient six petits corbeaux rouges aux becs béants, réclamant nourriture et protection. Eux aussi avaient échappé au feu. Ainsi Calengol, apitoyé, les emmena-t-il avec lui. Il les nourrit, les éleva et en fit sa famille. Et sa petite armée.

Bas les masques !

– Préparez-vous, les amis ! ne cessait-il de leur ordonner ce soir-là. Nous avons une mission importante à accomplir. Le jour de notre retour, ce jour mémorable, approche !

Les oiseaux l'écoutaient avec attention.

– Nous avons fait quelque chose pour lui… dit-il en grimaçant. À lui maintenant de nous rendre un service. Il nous ouvrira les portes, les amis. Puis la princesse Nives sera entre mes mains.

À ces mots, les corbeaux, excités, s'envolèrent hors de la caverne en émettant des sons aigus et perçants. Ils se mirent à tourner en rond très rapidement, comme un grand tourbillon rouge emportant tout sur son passage.

– Pas maintenant ! Retournez à vos places ! croassa Calengol, qui les contemplait, ivre de joie. Attendez ! Le grand jour n'est pas encore arrivé.

Mais les oiseaux ne s'arrêtaient pas : ils continuèrent à tourbillonner au-dessus du lac gelé, au milieu des rires de plus en plus sonores de leur maître.

– Attendez qu'il nous ouvre les portes ! répétait-il. Attendez !

18
Ambiance tendue à la cour

S i le prince Herbert ne partait pas de lui-même, il n'y avait qu'un moyen de s'en libérer. Après de longues, de très longues réflexions, Nives eut une idée.

Elle proposerait à sa tante de reprendre le projet initial de la fête. Nives feindrait d'avoir changé d'avis et d'être prête à choisir un fiancé ; au moins ainsi obtiendrait-elle de faire venir d'autres personnes, d'autres princes au château.

Et une fois qu'ils seraient là… Dieu sait ce qui arriverait ! Mais elle ne devait pas s'en préoccuper, c'était un risque qu'il lui fallait absolument prendre. Une chose à la fois ! disait toujours sa mère.

Après avoir parfaitement rôdé son discours, Nives

Ambiance tendue à la cour

rejoignit sa tante dans la pièce où, tous les jours à quatre heures précises, celle-ci prenait le thé.

En entrant, elle croisa Haldorr, qui, un gros livre sous le bras, prenait congé.

– Mes hommages, princesse ! la salua le bibliothécaire en s'inclinant.

– Bonne soirée, Haldorr.

Quel que fût le contenu de l'ouvrage, la comtesse en était encore troublée. Elle se tenait très convenablement assise sur l'extrême bord de l'un des quatre fauteuils du petit salon, avec le maintien qui sied à une noble dame. Nives contempla son corps rondelet, si gracieux qu'on eût dit celui d'une danseuse légèrement alourdi par l'âge.

– Assieds-toi, chère enfant ! lui proposa la comtesse en serrant l'anse de sa fine tasse de porcelaine bleue et blanche entre ses doigts potelés.

– Tout va bien, ma tante ?

– Bien sûr, ma chère ! mentit la comtesse en agitant une main devant son visage, comme elle le faisait chaque fois qu'elle voulait dissiper une pensée déplaisante.

Ambiance tendue à la cour

À la vérité, Haldorr venait de lui confier un doute qui l'habitait concernant le prince de Lom. D'après ce qu'il avait découvert dans la généalogie des familles des Cinq Royaumes, les descendants directs de la dynastie des Lom étaient trois filles, pas un garçon. Le seul Herbert enregistré à la cour de Lom était le fils cadet d'un oncle, et n'avait que treize ans. Or à l'évidence Herbert de Lom, lui, en avait davantage. Le prince était sûrement jeune, pensait Haldorr, mais quant à savoir son âge exact… Ou bien était-il possible que les livres d'Haldorr se trompent ?

Le bibliothécaire assura qu'il vérifierait plus minutieusement mais, à ce stade, ses recherches semblaient indiquer que le prince qui s'était présenté à Arcandide était un imposteur.

Nives prit un siège et s'installa face à sa tante.

– Je te trouve l'air plus reposé aujourd'hui, Nives ! observa celle-ci.

Comme la princesse était restée éveillée presque toute la nuit, cette remarque l'amusa beaucoup.

– C'est le cas. La nuit m'a porté conseil, mentit à son tour Nives.

Jamais peut-être la comtesse Berglind et Nives ne furent plus éloignées qu'en cet instant. Chacune cachait à l'autre des secrets, et avait renoncé à lui parler en pensant agir pour le mieux.

Onze servit le thé avec cinq biscuits et beaucoup de miettes. Nives sourit : le manchot ne perdrait donc jamais sa fâcheuse habitude de servir des plateaux à moitié vides.

– Es-tu en quête d'un conseil, ma douce ?

– Après tout cet ennui et cette neige… et puis cette attente, petite tante adorée… j'ai pensé qu'au fond vous aviez raison : il est vraiment temps que je me marie.

La comtesse regarda sa nièce avec des yeux écarquillés, comme si elle avait vu un fantôme.

– Mon Dieu ! Mais c'est une nouvelle fantastique ! s'exclama-t-elle juste après.

Nives s'efforça de faire passer le nœud dans la gorge qui lui était venu en proférant ce mensonge. Elle n'avait pas l'habitude de tromper la comtesse, mais cette fois il lui fallait défendre une chose très importante, plus importante que son propre bonheur.

– J'ai donc reconsidéré votre idée d'organiser une fête avec tous les prétendants, précisa-t-elle.

– Tu veux dire que… tu veux envoyer les invitations ?

– En effet, confirma Nives.

– Par conséquent… tu ne penses pas épouser… le prince Herbert ?

Ambiance tendue à la cour

– Non, admit Nives. Après avoir fait sa connaissance… je tiens à rencontrer les onze autres princes des différents royaumes… parmi lesquels, je trouverai, croyez-moi… mon futur époux.

– Bien sûr ! acquiesça sa tante avec compréhension. Après tout, les cartons sont déjà prêts… et… peut-être…

– Le ciel s'est éclairci, non ? Si la mer permet aux phoques voyageurs de nager, je suggère, ma tante, de les faire partir immédiatement.

– Très bien ! se contenta de répondre la comtesse, trop

submergée par les émotions pour ajouter quoi que ce soit d'autre. C'était mon idée de départ, jusqu'à ce que…

– Je le sais, chère petite tante. Mais pourquoi capituler dès le premier obstacle ? Si l'on veut organiser une fête, autant le faire dans les règles, vous ne pensez pas ?

La vieille dame, que la soudaine volte-face de sa nièce avait laissée coite, opina. Puis elle lui prit les mains.

– Je suis heureuse de t'entendre parler ainsi, Nives ! J'étais si inquiète pour toi !

Nives aussi était contente, tout en espérant ne pas s'être fourrée dans un pétrin plus grand que celui dont elle voulait se tirer.

~*~

La nouvelle fit rapidement le tour du château.

Pour la seconde fois en l'espace de quelques semaines monta l'agitation liée aux préparatifs de ce qui devait être la fête de fiançailles de Nives. Mais elle était cette fois empreinte d'une légère tension. Tous semblaient des marionnettes entre les mains d'un destin inconnu.

Nives se sentait coincée, comme prise entre deux feux. La seule chose dont elle était certaine était que, parmi les invités, aucun ne l'inquiéterait autant qu'Herbert.

Ambiance tendue à la cour

Le prince de Lom accueillit la nouvelle avec un calme inattendu. Il croyait avoir conservé l'avantage sur d'autres éventuels prétendants. Après leur rencontre nocturne dans les jardins du château, les conversations avec Nives s'étaient poursuivies comme à l'accoutumée. Et comme ni Nives ni ses cousines n'en avaient dit mot à leur tante, tout semblait se passer normalement.

Mis à part le fait que la comtesse Berglind évita dès lors toute opportunité de conversation en tête à tête avec Herbert.

Dans l'intervalle, Nives faisait comme si de rien n'était, mais tremblait intérieurement en se demandant comment tout cela finirait. Combien de temps faudrait-il aux invités pour se mettre en route ? Quelques jours. Et pour organiser les festivités ? Le temps que les princes arrivent. D'ailleurs, se déplaceraient-ils tous ?

– Sois tranquille, lui répétait Thina en brossant ses longs cheveux blonds. Ton prince viendra et il te sauvera d'Herbert.

– Et si ça ne se passait pas comme ça ? Si quelque chose allait de travers ? s'inquiéta Nives.

– On dit que la mer est calme et que dès demain les phoques pourront replonger dans l'eau.

Ambiance tendue à la cour

– Tu as peut-être raison, Thina. J'ai pourtant une boule ici, dit la princesse en indiquant le haut de son estomac, qui ne me laisse pas de répit.

– Je vais prier Olafur de te préparer une bonne tisane, proposa sa cousine. Les herbes du volcan Hekta sont miraculeuses.

C'était une excellente idée.

Thina quitta la pièce en laissant la porte entrouverte.

Peu après s'y glissa la grande tête de Gunnar, qui frappa de deux sonores coups de patte.

– Entre, Gunnar ! Quelle surprise !

Au cours des derniers jours, le loup s'était montré particulièrement circonspect et réservé. Lorsqu'il s'approcha de la princesse, elle remarqua quelque chose sur son dos : sa cape bleue, celle qu'elle portait pour galoper avec lui.

Les yeux de Nives s'éclaircirent comme le ciel après une violente tempête. Le loup leva le museau comme pour lui poser une question. C'était sa façon de communiquer avec la princesse.

– Oui, c'est une formidable idée ! répondit Nives en devinant ce qu'il lui demandait.

Elle prit le vêtement, le mit sous son bras et rédigea un bref message d'explication pour Thina. Puis elle

sortit de sa chambre, ainsi que du château, sur le dos de son cher Gunnar.

– Merci… murmura-t-elle au loup blanc, quand il se mit à courir à bride abattue, laissant Arcandide derrière eux.

19
Une course éperdue

Deux silhouettes qui semblaient n'en faire qu'une filaient à vive allure sur la plaine encore enneigée du royaume des Glaces éternelles. Elles paraissaient ne pas avoir de but précis : de temps à autre, elles changeaient de direction, gravissaient une colline puis redescendaient, longeaient la plaine du geyser et remontaient jusqu'aux flancs d'un volcan. Elles couraient uniquement pour le plaisir de courir. Nives se pressait tout contre la fourrure de Gunnar, qui tirait de cette étreinte la force d'aller encore plus vite.

C'était une course libératrice, loin des pensées désagréables et des inquiétudes qui, au cours des derniers

jours, avaient serré leurs cœurs dans le carcan d'un silence résigné.

Lorsqu'ils parvinrent à la caverne du Grand Arbre, l'après-midi était déjà avancé. Une lumière étrange éclairait l'arbre, ce jour-là. Elle était très diffuse et particulièrement chaude.

Les feuilles des branches les plus hautes et baignées de soleil avaient la couleur de l'or, et les grosses oranges qui en pendaient semblaient des boules de bronze.

Helgi se tenait sur la dernière marche d'une vieille échelle de bois. Lorsqu'il les vit, il redescendit, un sécateur et un panier à la main.

– Bienvenue, princesse ! lança-t-il joyeusement.

Nives se jeta dans ses bras et fondit en larmes. Ne sachant comment se comporter, le jardinier resta pétrifié. Il ne savait rien des événements qui tourmentaient Nives et était loin de pouvoir imaginer la tristesse qu'elle éprouvait. Elle, en revanche, connaissait bien ces bras puissants qui, si souvent lorsqu'elle était enfant, l'avaient soulevée jusqu'aux premières ramures du Grand Arbre. Cet homme représentait pour elle la possibilité de se rappeler son passé, le seul lien avec ce qui n'existait plus et avec le bonheur. Elle se laissa bercer par sa forte odeur de terre, de fruits et de fleurs.

Une course éperdue

Helgi lui caressa doucement la tête de ses grandes mains que des années de travail avaient rendues calleuses. Puis, quand Nives se détacha de sa poitrine, il la regarda droit dans les yeux et lui dit :

– Il ne faut pas vous inquiéter. Vous serez une grande reine !

À ces mots, Nives sentit une force nouvelle, ou peut-être seulement oubliée, jaillir de son cœur. Helgi avait raison : une grande reine ne s'effrayait pas, mais avançait, tête haute, face à n'importe quelle difficulté. C'est la conduite qu'elle adopterait pour mériter son titre et sa charge, pour les gens d'Arcandide et pour tout le peuple du royaume des Glaces éternelles.

Helgi sourit et lui indiqua les oranges sur les branches les plus élevées.

– Regardez, princesse, bientôt elles seront mûres et il sera temps de se rendre au village, ajouta-t-il à voix basse.

Une course éperdue

Nives sécha une larme et acquiesça.

– Le temps s'est amélioré.

Gunnar sourit sous ses vibrisses. C'était une joie de voir Nives ainsi. Le «village» comptait à peine plus de cinquante habitants, vivant essentiellement de la pêche. En vertu de règles remontant à l'époque de la guerre, cette population fidèle à la cour, honnête et courageuse recevait d'Arcandide, à chaque printemps, les premières oranges du Grand Arbre en signe de respect.

– S'il faut aller au village, décréta Nives, autant le faire rapidement.

– Bien dit, princesse! Ce n'est plus qu'une question de jours.

– Toi, Gunnar, qu'en penses-tu?

En entendant mentionner le village, Gunnar gémit doucement.

C'est là qu'il habitait avant de devenir un loup. Avant de vivre comme une bête sauvage parmi les autres loups. Et avant de décider de se mettre aux ordres de la princesse.

Pendant que Nives discutait avec Helgi de l'arbre et du jardin, Gunnar, s'accordant un moment de repos, s'étendit sur l'herbe. Il se souvenait parfaitement du jour où il s'était présenté au château.

Une course éperdue

Lorsqu'il avait appris qu'Arcandide cherchait des volontaires pour constituer son armée, il avait convaincu les loups de sa horde de le suivre pour proposer de servir la princesse Nives. Il les avait guidés à travers tout le royaume des Glaces éternelles jusqu'au château, et une fois parvenu face au pont-levis Kiram, Gunnar était passé le premier. Comme par magie, le pont s'était abaissé sans qu'on prononce son nom, comme il l'aurait fait en reconnaissant un être familier.

Gunnar avait ensuite laissé les loups dans la cour et gravi les marches de l'entrée au milieu des cris étonnés des soldats, sans jamais ralentir le pas.

Un loup à Arcandide pour protéger la princesse ?

Ce fut alors que Gunnar rencontra Nives. Elle portait une magnifique robe bleu ciel, qui contrastait avec sa peau blanche. Ses longs cheveux blonds et ses traits délicats lui conféraient une grâce déjà royale.

Silencieuse et respectueuse, elle se tenait aux côtés de la comtesse Berglind.

Gunnar s'amouracha aussitôt d'elle.

– Viens par ici, loup ! lui avait demandé la comtesse, comme si sa présence ne l'étonnait guère. Je suis âgée et ne puis faire face à toutes les menaces qui pèseront sur

Une course éperdue

la vie de la princesse. Calengol est le plus dangereux de tous les monstres. La princesse Nives est encore petite et a besoin qu'on la protège. Seras-tu en mesure, toi le loup, d'assurer cette charge ?

Du museau, Gunnar l'entraîna vers la fenêtre. Tous deux s'y penchèrent et virent la horde entière des loups, rangés en colonnes régulières sur la neige.

– Tous ces loups… avait murmuré la comtesse Berglind, surprise. Voilà donc mon destin : confier à une armée de bêtes sauvages l'héritière du trône du

royaume des Glaces éternelles ? J'espère vraiment faire le bon choix !

Gunnar poussa un long, très long hurlement, bientôt imité par sa troupe.

Dans le Jardin d'hiver, aussi inopinément qu'il s'était endormi, Gunnar reprit ses esprits.

Il était toujours allongé sur l'herbe près du Grand Arbre. Nives et Helgi le fixaient d'un air inquiet.

– Que se passe-t-il, Gunnar ? lui demanda la princesse. Pourquoi as-tu crié ?

Gunnar n'avait pas conscience d'avoir hurlé. Il avait rêvé, et son rêve était si poignant qu'il s'était cru dans la réalité.

Il lécha la main de Nives.

« Je la protégerai toujours », se promit-il.

~*~

La comtesse Berglind arpentait à petits pas rapides le couloir reliant l'entrée au grand salon de réception. Il était bientôt l'heure de dîner et Nives n'était pas encore rentrée à Arcandide.

– Est-elle arrivée ? demandait-elle à intervalles réguliers à ceux qui croisaient sa route.

Une course éperdue

Mais la réponse était toujours la même :

– Pas encore, comtesse. Je suis désolé.

Lorsqu'elle entendit la grande porte extérieure s'ouvrir, elle se précipita à la fenêtre et distingua les silhouettes de Nives et de Gunnar.

– Grâce au ciel ! s'exclama-t-elle.

Elle se dirigea vers l'entrée d'un pas trottinant, semblable à ceux des manchots serveurs.

– Où étais-tu passée pendant tout ce temps ? cria-t-elle presque en rejoignant sa nièce. Je me faisais du souci !

Nives retira sa cape et la tendit aux deux manchots qui avaient accouru.

– Je suis allée rendre visite à Helgi et à l'Arbre,

répondit-elle. Sous peu il sera temps de porter des oranges au village.

Sa tante la regarda droit dans les yeux. C'était la première fois que Nives se rappelait l'une de ses obligations protocolaires. Sa réponse semblait celle d'une reine.

Le regard de la jeune fille avait changé : il semblait plus conscient et moins triste. La comtesse cessa aussitôt de s'inquiéter. Une expression joviale, couronnée d'un grand sourire de satisfaction, détendit ses traits.

– Mais nous devons parler des préparatifs !

– Installons-nous dans le salon Jaune, nous pourrons y parler tranquillement ! suggéra Nives.

– Très bien. Ça me paraît parfait ! répliqua sa tante, qui avait hâte de partager le lourd fardeau de l'organisation de la fête de fiançailles.

Tante et nièce passèrent les heures suivantes à discuter de mille et une petites choses, retardant même l'heure du dîner, qui pour la comtesse Berglind était pourtant sacrée. Celle-ci voulait exploiter au mieux l'enthousiasme inattendu de la jeune fille ; quant à Nives, elle n'avait qu'une pensée en tête : différer autant que possible le choix de son promis.

Elles étaient encore occupées à arrêter certains détails, quand Olafur demanda la permission d'entrer.

Une course éperdue

– Je crains que le repas soit froid ! annonça-t-il.

– Ciel, comme il est tard. Le temps a filé à toute allure ! gazouilla la comtesse.

Sur ces mots, elle se leva et arrangea plus ou moins adroitement sa robe.

20
Le coléoptère bleu

La nuit tomba sur Arcandide.

Nives se prépara à dormir, le cœur plus léger que ces derniers jours. Elle se coucha et remonta ses couvertures jusqu'au nez. Elle regarda alors par les fenêtres ouvertes la grande voûte étoilée du ciel nocturne. Il semblait faire très froid... Ou bien était-elle, ce soir-là, plus sensible que d'habitude ?

Elle songea distraitement à la journée qu'elle venait de passer et s'aperçut qu'elle n'avait pas croisé, ne serait-ce qu'une fois, le prince Herbert. Peut-être était-ce là la raison de son insouciance.

Sans même s'en apercevoir, elle sombra dans un profond sommeil. La flamme de la petite chandelle

posée sur sa table de chevet brûlait lentement, modelant d'étranges figures dans la cire blanche.

Le silence ne fut troublé que par un battement d'ailes presque imperceptible. Une petite tache sombre se mit à sillonner la pénombre en quête de quelque chose. Parfois elle disparaissait dans les coins les plus obscurs de la pièce pour resurgir, quelques instants plus tard, dans la lumière tremblotante de la chandelle, désormais presque entièrement consumée. Il s'agissait d'un insecte : un coléoptère bleu cobalt.

Son minuscule corps était protégé par une brillante carapace articulée. Volant d'un angle à l'autre de la chambre, il semblait attendre que Nives s'habitue au vrombissement de ses ailes avant de s'approcher plus franchement d'elle.

Il s'immobilisa une première fois au pied du lit de la princesse, puis reprit son envol et plana jusqu'à l'oreiller de Nives, où il se posa.

Enfin ses courtes pattes trapues le portèrent lentement jusqu'à l'oreille de la jeune fille, sur le bord de laquelle, avec la plus grande précaution, il grimpa.

Nives dormait profondément.

Dans la chambre se répandit alors une sorte de sifflement, dont les modulations, si basses qu'elles ne

se distinguaient pas du bruissement de la flamme de la bougie, paraissaient fredonnées. Ce bruit résonna pendant quelques minutes.

Puis le coléoptère redescendit sur l'oreiller, refit en sens inverse le chemin déjà parcouru et, lorsqu'il se fut suffisamment éloigné de la tête de la princesse, s'envola vers la fenêtre ouverte.

La lumière de la chandelle s'éteignit, libérant une odeur de cire brûlée.

L'insecte bleu cobalt laissa derrière lui les murs de glace du palais. Il piqua vers le fossé, puis remonta en direction des pavillons des invités et, franchissant une fenêtre ouverte, parvint dans la chambre du prince. Le jeune homme portait une veste d'intérieur de couleur sombre, bordée de fine passementerie rouge.

Lorsque Herbert prit conscience de la présence du coléoptère, il approcha la main de son épaule pour l'y faire monter.

Dans l'âtre de la cheminée brûlait un feu vif, dont les flammes dardaient dans toutes les directions.

– Tout s'est-il bien passé, l'ami ? demanda le prince, la moitié du visage dans la lumière, l'autre dans l'ombre.

L'insecte battit trois fois des ailes.

– Bien, très bien. Le temps prévu pour séduire la

princesse touche à sa fin,
conclut Herbert avec une
moue satisfaite. Qu'elle
soit d'accord ou non,
nous ne pouvons plus
perdre de temps.

Il caressa la carapace
de son précieux collabo-
rateur bleu. Le minuscule
animal avait été dressé pour
striduler à l'oreille de la princesse une
lente litanie dans une langue oubliée, afin de faire plier
la volonté de la jeune fille et de la rapprocher d'Herbert.

C'est grâce à l'activité nocturne de l'insecte que le
prince réussissait à anticiper les actions de Nives, voire
à lire dans ses pensées. Chaque nuit, le coléoptère trou-
blait ses rêves, la persuadait d'enfiler, au matin, telle
ou telle robe et de gagner l'un ou l'autre lieu. Sans s'en
rendre compte, Nives faisait ce que voulait le prince
Herbert.

Certes, la tâche avait été plus difficile qu'Herbert
l'imaginait. Il avait été surpris par la volonté de fer de la
jeune fille, et, même s'il sentait qu'elle cédait progressi-
vement à son emprise, le temps commençait à manquer.

Le coléoptère bleu

La fête de fiançailles, les invitations, les autres prétendants présentaient un trop grand danger pour lui et pour ses projets. Il devait forcer les événements. Agir immédiatement. Sinon, tout ce qu'il avait accompli jusque-là, l'attaque perpétrée par son monstrueux allié avec ses corbeaux rouges, les tempêtes de neige, le travail du coléoptère, les rêves… tout cela aurait été vain.

– Ce soir, Arcandide se teintera de rouge, murmura sombrement le prince Herbert.

Puis il posa le coléoptère sur la table, près de la petite boîte au couvercle percé dans lequel il le gardait, et lui dit :

– Repose-toi, insecte des songes. Je dois préparer mon épée.

21
L'alliance

Pendant ce temps, au bord du lac gelé, Calengol et ses affreux corbeaux rouges se préparaient à partir.

Ils avaient répété leur plan à d'innombrables reprises et étaient fin prêts. Ils pénétreraient dans Arcandide par où personne ne l'imaginait possible.

– Une fois sur place, plus le temps de réfléchir ! Nous devrons agir d'un même mouvement, avec rapidité et détermination ! leur martela Calengol de sa petite voix perçante.

Les oiseaux bougèrent la tête en signe d'assentiment.

– Vous avez compris ce qu'a dit notre ami… Vous l'avez compris, pas vrai ?

L'alliance

Plus tôt dans la journée, leur allié, le prince Herbert, était venu au lac gelé pour annoncer que le programme avait changé : Calengol et ses corbeaux devraient intervenir le jour même.

Calengol avait demandé ce qui était arrivé, pourquoi le plan avait été modifié.

Mais Herbert ne lui avait pas répondu. Il s'était contenté de prévenir Calengol que, s'il tenait à enlever la princesse Nives, il devrait entrer dans le château précisément cette nuit-là. Herbert avait déclaré avoir découvert un passage, une voie sûre par laquelle s'introduire dans Arcandide. Calengol brûlait d'atteindre son but. Son alliance avec Herbert lui fournirait enfin le moyen de venger le massacre de son peuple : la princesse Nives serait à lui et Herbert aurait son royaume ! Et qui sait, peut-être un jour le prince ferait-il de lui son conseiller personnel.

– Pas de nouveau par les cuisines ! avait lâché Calengol.

Gunnar avait renforcé la garde : cet accès n'était plus praticable.

– Tu passeras par l'un des pavillons des invités ! avait expliqué Herbert. J'ai vérifié le parcours. Tu trouveras les portes déverrouillées.

C'était difficile, mais pas impossible.

L'alliance

Calengol s'imagina voler au-dessus du fossé, puis s'agripper aux remparts glissants du château. Sa nature monstrueuse lui permettait en effet d'agir comme un animal et de penser comme un homme. De ce côté, la muraille était si abrupte et escarpée que personne ne pensait qu'on pût l'escalader. Une fois cette protection franchie, il accéderait au palais par une petite fenêtre qu'Herbert laisserait ouverte dans l'une des résidences des invités. Puis il emprunterait le modeste escalier de communication avec le palais royal mis au jour par le prince et monterait jusqu'à la chambre de Nives.

– Et le loup ? s'était enquis Calengol.

– C'est moi qui m'en occupe ! lui avait répondu Herbert d'un ton résolu.

Bien avant ce jour, Calengol s'était entraîné sans relâche en vue de leur folle entreprise. Ses corbeaux avaient volé dans des tempêtes de neige et de vent, alourdis de blocs de pierre pour renforcer leurs ailes. Et leur maître avait escaladé des montagnes escarpées, toujours par leurs faces les plus difficiles. Ainsi était-il devenu de plus en plus fort et déterminé.

Aveuglés par la vengeance, ses yeux s'embrasèrent.

– Allons-y ! cria-t-il en ramassant un écheveau de corde et des crampons en fer.

L'alliance

Les faisant tournoyer au-dessus de sa tête, il provoqua l'envol des corbeaux rouges.

~*~

Très loin de là, Arcandide était plongé dans le plus profond silence. Assis devant la fenêtre de sa chambre, Herbert contemplait le croissant de lune, sans perdre le fil rapide de ses pensées. Il serrait sur ses genoux sa brillante épée, mais sa main tremblait.

Avait-il peur ou était-il simplement très fatigué ?

Herbert avait toujours parfaite-ment su ce qu'il voulait et comment l'obtenir. Bientôt, il devien-drait le nouveau souverain du royaume des Glaces éter-nelles, et il ne s'arrêterait pas là. Arcandide n'était qu'une étape, et Nives une pièce de son vaste plan. La princesse dissimulait un secret qu'il convoitait.

Ce secret lui avait été transmis

par son père, le Roi sage, un homme qu'Herbert méprisait.

Manipuler les pensées de Nives n'était pas aisé, d'autant que son fidèle et dangereux loup, Gunnar, exerçait une grande influence sur elle.

Cet animal était mystérieux. Il aurait donné sa vie pour sauver celle de la princesse, comprenait Herbert, mais la nature du sentiment qui le liait si étroitement à elle n'était pas clair à ses yeux.

Pris d'une violente inquiétude, le prince se leva et ouvrit la fenêtre. Il fut aussitôt assailli par un coup de vent glacé, idéal pour s'éclaircir les idées. Il s'avança dans l'encadrement de la fenêtre. Le froid le pénétrait jusqu'aux os et lui glaçait le sang. Il résista ainsi quelques minutes, engourdissant une très ancienne douleur qu'il ne laissait que rarement l'accabler. Nives n'était pas la seule à avoir perdu son père. Pas la seule à regretter le passé.

– Cette nuit… déclara le prince Herbert en plissant les yeux face au froid, tout sera fini !

~*~

Erla se retourna dans son lit. Elle avait toujours du

mal à se rendormir quand Arla la réveillait avec ses promenades de somnambule.

Elle savait que sous peu il lui faudrait se lever pour commencer sa longue journée de travail et elle n'avait pas l'intention de gâcher ses dernières heures de sommeil.

– Je dois demander une chambre séparée. Voilà ce qu'il faut que je fasse ! Il en va de ma santé ! gémit la cuisinière.

Puis elle regarda autour d'elle : l'obscurité cédait la place aux premières lueurs du jour.

« Il reste moins d'une heure avant le petit déjeuner », pensa-t-elle.

Comme, tout au long de sa vie, le temps avait été rythmé par les occupations remplissant ses journées, ses évaluations étaient généralement exactes.

De son côté, sa sœur errait dans les couloirs. Après avoir parcouru en dormant tout le troisième étage, dévolu aux chambres des domestiques, elle était parvenue au grand escalier. Après bien des nuits de pratique, elle en descendait les marches avec une extrême agilité, peut-être même plus lestement que lorsqu'elle était éveillée. Elle ne semblait jamais avoir d'objectif précis, mais une chose était certaine : ses promenades nocturnes se finissaient toujours en catastrophe.

L'alliance

Une fois, elle avait heurté le guéridon où Olafur avait posé la précieuse collection de petites tasses en porcelaine de la comtesse Berglind afin de les faire laver. Elle avait provoqué un fracas de vaisselle cassée qui avait réveillé la moitié du château. Sauf elle, bien sûr, à qui son somnambulisme garantissait un sommeil inaltérable !

Ce matin-là, la dormeuse itinérante avait été attirée par un courant d'air froid qui faisait le tour des couloirs, s'infiltrait en haut, en bas, à tous les étages, tourbillonnait dans les grands salons encore endormis et se glissait jusque sous les portes des chambres à coucher. En suivant cet étrange souffle d'air, elle parvint à une fenêtre ouverte au dernier étage de l'un des pavillons des invités. Toujours endormie, elle la referma d'un geste puissant et décidé, sans s'apercevoir que du bord de la fenêtre pendait une corde tressée, qu'elle coinça grossièrement dans le châssis.

Ensuite, elle passa à deux pas d'une forme voûtée, tapie dans l'ombre d'une cheminée de pierre. Incommodée par son odeur, elle huma l'air, puis poursuivit son chemin.

– Maudite vieille cuisinière… toujours dans mes jambes… marmonna Calengol.

À quelques instants près, il n'aurait pas réussi à entrer dans le château.

L'alliance

– Avançons… avançons… Nous y sommes presque !
grommela-t-il tout bas. Je n'ai plus qu'à repérer le
passage qui permet d'arriver à la chambre de la princesse Nives.

L'aube pointerait dans moins d'une heure.

Il emprunta les couloirs qu'Herbert lui avait indiqués
et parvint à une petite porte. Il descendit un escalier et
se retrouva à l'intérieur du palais royal.

– Bien… bien… Allez… allez… ricana-t-il, satisfait.

Il entendit soudain un bruit.

De lointains cris de femme, ou plutôt des récriminations.

Après avoir traversé le jardin, Arla venait de rentrer
de sa promenade nocturne, et sa sœur, bien qu'elle eût
appris qu'il ne fallait pas réveiller les somnambules, l'ac-
cablait de noms d'oiseau, menaçant de la renier si elle
continuait à troubler son sommeil. Entre hurlements et
fracas d'objets brisés, toutes deux faisaient un vacarme
à réveiller la moitié du château.

Calengol pressa le pas en veillant à ne pas se faire
entendre.

– J'ai intérêt à me dépêcher, avant que cette servante
n'ameute tout Arcandide !

Le tapage des cuisinières avait réveillé la princesse,
qui se frottait les yeux comme s'il était déjà l'heure de se

lever. La lumière bleutée du petit matin perçait à travers les murs de glace de sa chambre, diffusant juste assez de clarté pour dévoiler les silhouettes confuses des meubles et des objets, sans qu'on pût toutefois en discerner les détails.

Vif comme l'éclair, Calengol bondit dans la pièce, dont la porte était ouverte, comme l'avait promis Herbert. Nives fut pétrifiée de peur. Elle sentit deux petits bras forts et musclés la ceinturer à lui faire perdre le souffle,

et une pénétrante odeur de moisi et d'oiseau sauvage s'insinuer dans ses narines.

Elle n'eut même pas le temps de crier que Calengol l'avait déjà immobilisée.

Nives tenta désespérément de se libérer, mais tous ses efforts furent vains.

Elle aperçut alors le visage de son assaillant : Calengol !

«Où est Gunnar ? se demanda-t-elle. Où sont les autres ? Ma tante ! Thina ! Tallia !»

Tout en se débattant furieusement, Nives balaya du regard ce qui l'entourait, en quête d'un moyen d'échapper à la créature.

Tout à coup, la porte s'ouvrit.

C'était Herbert !

22

Le prince libérateur

Peu avant l'aurore, le prince finit de se rincer le visage, puisant à pleines mains dans la cuvette blanche que le majordome avait diligemment placée sur une petite table, dans un coin de la pièce. Elle côtoyait un joli broc ventru et une serviette de lin finement brodée, acquise auprès d'un marchand itinérant du royaume des Sables.

Herbert se regarda dans le miroir ovale suspendu au mur en face de lui : l'eau ruisselait sur ses yeux fatigués.

L'heure était venue d'affronter Gunnar.

Sans prendre le temps de s'essuyer, il saisit son épée par son manche doré, la glissa dans son fourreau et sortit de sa chambre. Son arme pendant à sa ceinture,

il se déplaça aussi vite qu'il le pouvait, empruntant lui aussi le raccourci indiqué à Calengol.

Lorsqu'il parvint à l'étage où se situait la chambre de Nives, il se retrouva face à Gunnar, qui le fixait d'un air de soupçon.

Le prince posa la main sur la garde de son épée. Il respira profondément et… entendit soudain un cri lointain.

– Maintenant, ça suffit, Arla ! bramait la voix d'Erla. Je veux dormir !

Le prince retira aussitôt sa main et désigna l'étage des domestiques plongé dans le noir.

– Il me semble qu'il se passe quelque chose de grave, là-haut ! dit-il.

Gunnar ne bougea pas. Il y eut un grand bruit sourd, suivi d'un grondement.

– Il me semble que tu devrais intervenir ! insista le prince.

Le loup blanc écouta l'altercation entre les deux sœurs et réfléchit : peut-être était-ce encore un tour de Calengol. Bien que toujours méfiant à l'égard d'Herbert, il s'engagea en trottinant dans le couloir pour voir de quoi il retournait.

Le prince retint son souffle jusqu'à ce que Gunnar

disparaisse, puis, souriant d'un air mauvais, s'approcha de la chambre de Nives.

Il tendit l'oreille et poussa la porte.

Penché sur le corps de la princesse, Calengol venait de finir de la ligoter. Nives était encore consciente, car, à la vue d'Herbert, elle écarquilla les yeux de terreur.

– Qui êtes-vous ?! hurla le prince en se ruant dans la chambre, épée au poing.

– Ah ! Vous m'avez fait peur ! Ne criez pas comme ça ! répliqua Calengol en reconnaissant son allié.

– Lâchez immédiatement la princesse, monstrueuse créature !

– La lâcher ? Mais que dites-vous ?! Je suis Calengol ! répondit à voix basse l'ancien habitant de la forêt.

– Et moi, je suis le prince Herbert de Lom, le futur époux de la princesse ! tonna le jeune homme d'une voix menaçante.

– Vous perdez la tête ! Il n'y aura ni époux ni mariage ! La princesse est à moi ! C'est ce qu'on avait décidé.

– Jamais ! s'exclama Herbert en levant son arme.

– Vous me le paierez !

Calengol tira brusquement un couteau de sa ceinture et l'appuya contre la gorge de la princesse.

– Laissez-moi partir ou alors… dit-il avec un air de défi.

Dans le couloir derrière eux résonnèrent des pas très vifs. Gunnar revenait des étages au galop. On entendait aussi la voix de la comtesse Berglind et celle d'Olafur lui répétant :

– Ne courez pas, comtesse !

Dans la chambre de Nives, Herbert fit un demi-pas en avant. Calengol recula en tirant à lui la princesse.

Gunnar bondit sur le seuil, puis s'immobilisa. Sans se retourner, le prince Herbert lui fit signe de ne pas entrer.

– Ne bouge pas ! Il a un couteau !

Puis il gagna du temps jusqu'à ce que les autres arrivent. Une fois sur place, la comtesse émit un petit cri et s'évanouit entre les bras du majordome. Alors Herbert n'attendit plus : d'un bond, il fondit avec son épée sur Calengol et, lui décochant un coup inattendu, le blessa.

La créature regarda la sombre tache de sang qui s'élargissait sur ses hardes, puis, sans comprendre, le visage de son allié.

Mu par une rage indescriptible, il se jeta sur le prince et mordit son bras qui tenait l'épée.

Le prince libérateur

Herbert ne lâcha pas prise. D'un geste prompt et aguerri, il attrapa le poignet de Calengol et le serra de toutes ses forces pour faire tomber son couteau.

– Mais que faites-vous donc ?! hurla la créature en se démenant farouchement.

– Retourne d'où tu viens, monstre !

– Laissez-moi Nives et je m'en irai, murmura encore Calengol, entre deux échanges de coups. Elle est à moi ! Vous ne pouvez pas me la prendre !

– Jamais ! Elle ne sera jamais à toi ! rugit le prince.

Lui tordant le bras, Herbert réussit finalement à lui arracher le couteau.

Ensuite, il souleva Calengol et le projeta par la fenêtre avec une violence incroyable.

Calengol fut si brusquement balancé dans les airs que les

corbeaux rouges, qui l'attendaient à l'extérieur, ne parvinrent pas à le rattraper.

La créature chuta le long des remparts jusque dans le fossé, sombra dans des abîmes sans fond et disparut à tout jamais parmi les émanations glacées qui s'en dégageaient.

SECONDE PARTIE

23

Une coutume cruelle

ans la chambre de Nives, le silence s'installa. Le beau tapis vert était taché de sang. Debout devant la fenêtre, le prince Herbert gardait toujours les yeux tournés vers le fossé.

Gunnar et Olafur libérèrent immédiatement la princesse. Ils s'assurèrent qu'elle allait bien et la firent asseoir sur son lit.

– Dieu soit loué, elle est saine et sauve ! s'exclama Olafur.

Annoncées par le mugissement – digne d'une corne de brume – de Tallia, les deux jeunes cousines de Nives entrèrent à leur tour.

Réveillée par le hurlement de la fillette, la comtesse

Une coutume cruelle

Berglind revint à elle : lorsqu'elle constata qu'elle portait toujours ses vêtements de nuit, son visage s'enflamma.

Ne trouvant pas la force de se relever, elle se contenta de répéter :

– Ciel, je défaille ! Ciel, je défaille !

Le prince Herbert semblait apprécier la scène. Il adressa à Gunnar un regard de défi. Défi qu'il avait d'ores et déjà gagné, puisque Herbert s'était trouvé là quand Nives avait eu besoin d'aide.

Le loup l'avait compris et en souffrait.

Peu après arriva Erla, qui soigna le bras du prince avec un onguent à base de racines. Herbert la laissa faire.

Il avait accompli une prouesse et le savait.

Tout comme il savait que les choses allaient de nouveau changer à Arcandide.

~*~

Quelques heures plus tard, on frappa à la porte des appartements de la comtesse Berglind.

– Entrez ! répondit celle-ci avec un filet de voix.

La porte s'ouvrit et Nives pénétra dans la pièce. Elle portait une toilette bleu ciel, comme ses yeux, perdus et tristes.

Une coutume cruelle

Sa tante était étendue sur un fauteuil au tissu tramé d'argent. Ses pieds reposaient, légèrement relevés, sur un pouf en pierre volcanique, à la surface rembourrée pour un appui plus confortable.

Olafur lui avait appliqué sur le front un linge mouillé, qui bouchait à moitié sa vue. Bien que la journée fût bien avancée, tous les rideaux de perles étaient encore tirés, produisant des cascades d'ombres pourpres sur les murs de glace.

– Bonjour, ma tante. Comment vous sentez-vous ? s'enquit la princesse.

– Mieux, Nives. Et toi ?

– Moi aussi.

Nives regarda Olafur, qui se tenait rigoureusement droit et bombait le torse au fond de la pièce,

plus semblable à une horloge qu'à un homme en chair et en os.

– Ah, ma chère, à mon âge, certaines émotions peuvent être fatales…

– Je suis vraiment désolée, ma tante…

– Mais de quoi ? Ce n'est pas ta faute.

Nives s'assit sur le divan et caressa la trame serrée de son tissu, le regard inquiet et lointain.

– Au moins maintenant, je n'aurai plus à craindre les attaques de ce monstre… ce…

– … Calengol ! marmonna Olafur depuis son coin de mur.

– C'est ça, répondit Nives d'une voix éteinte.

La comtesse souleva son linge mouillé pour mieux y voir.

– Je soutiens qu'il faut nous en réjouir ! Et Olafur pense comme moi ! déclara-t-elle.

– Oui, bien sûr, mais… le faire disparaître ainsi… De toute façon, désormais j'aurai toujours peur de dormir dans ma chambre, j'en suis sûre.

– Peut-être ne sera-ce plus nécessaire, déclara sa tante d'un ton résolu.

– Que voulez-vous dire, ma tante ?

– Je veux dire que s'il n'y avait pas eu le prince Herbert, Nives, tu serais…

Une coutume cruelle

La comtesse fit voleter sa main devant son visage comme pour chasser une affreuse pensée et gémit :

– … Dieu sait où !

– La mort de Calengol a été cruelle, insista Nives.

– Cruelle mais indispensable, mon trésor ! affirma sa tante avec certitude. Sans le prince…

Et de répéter son geste.

– Le prince aurait peut-être pu le désarmer. Et Gunnar l'aurait enfermé dans un cachot, objecta la princesse.

– Et subir sa menace pour le restant de nos jours ?! Oh, mon enfant, c'est mieux ainsi !

– Mais, moi, j'ai la conviction qu'Herbert de Lom est un homme mauvais ! lâcha la princesse.

– Ma chérie, comment peux-tu proférer une chose pareille ? Il est courageux et loyal. N'oublie pas qu'il t'a sauvé la vie.

– Au prix de celle d'une malheureuse créature. Ma mère répétait toujours qu'il faut respecter la vie de chacun. Même celle de ses ennemis, plaida Nives.

– Dommage que ton père n'ait pas été tout à fait du même avis. Tu te rappelles qu'il a apporté la guerre ici, et qu'elle a causé bien des morts.

– Mais il n'avait pas le choix ! Il lui fallait vaincre le

Une coutume cruelle

Vieux Roi et soustraire le Grand Royaume à sa magie malfaisante ! invoqua la princesse.

Pour la comtesse, la liberté de parole de Nives allait trop loin. D'un geste péremptoire, elle retira le linge de son front et le tendit à Olafur pour qu'il le rafraîchisse en l'agitant.

– Ça suffit, Nives ! Je ne t'ai pas fait venir pour discuter de ton père et de ta mère, mais de toi. Et du prince Herbert…

– Il n'y a rien à en dire !

Nives ne pouvait contenir sa colère. Elle savait qu'elle devait le respect à la comtesse mais, à ce moment précis, elle était incapable de dissimuler sa déception et son amertume.

– Ici, au royaume des Glaces éternelles, il y a des règles de conduite, de très anciens usages que tu dois connaître, Nives. Le premier devoir d'une reine est d'observer ces règles afin de montrer l'exemple à son peuple. Elle doit savoir ce qu'est le respect, l'expression de la reconnaissance et la loi. Tu comprends de quoi je parle, mon enfant, n'est-ce pas ?

– J'ai déjà remercié le prince Herbert pour son courage, et…

– Le prince Herbert de Lom t'a sauvé la vie et nous

lui devons tous plus que de la simple gratitude. Tu me suis ?

Nives ne voyait pas où la comtesse voulait en venir.

– Non, pas vraiment, dit-elle.

La comtesse Berglind frappa dans ses mains, et d'un coin de la pièce surgit la maigre silhouette d'Haldorr, portant sous son bras un volumineux ouvrage à la couverture blanc nacré.

Haldorr s'avança en courbant le dos et en traînant des pieds qui semblaient aussi lourds que du plomb. Lorsqu'il croisa le regard de Nives, il détourna les yeux vers la pointe de ses chaussures, comme s'il avait honte ou des excuses à présenter.

– Ma très chère nièce, la loi du royaume des Glaces éternelles est très claire dans le cas qui nous concerne… annonça sa tante en faisant signe à Haldorr d'ouvrir le livre et d'en lire un passage.

Le bibliothécaire s'éclaircit la voix et, assez embarrassé, s'exécuta :

Une coutume cruelle

– Dans le cas où la princesse régente du royaume des Glaces éternelles, libre de tout lien ou engagement et non encore mariée, est sauvée d'un danger assurément mortel, sauvetage assurant par la même occasion celui du royaume, il est écrit qu'elle devra exaucer, le cœur ouvert et reconnaissant, toute requête que son sauveur voudra bien lui adresser…

– Toute requête ? l'interrompit Nives d'une voix plus aiguë qu'elle l'aurait souhaité. Mais quelle requête ?

– Celle de pouvoir t'épouser, ma chère enfant. Le prince Herbert de Lom m'a formellement demandé ta main, conclut lapidairement sa tante.

En proie à la plus grande confusion, la princesse ne répondit pas, mais pencha la tête pour cacher les larmes qui perlaient au bord de ses paupières.

« Exaucer, le cœur ouvert et reconnaissant… Exaucer, le cœur ouvert et reconnaissant », Nives continuait à se répéter les paroles d'Haldorr.

Dans la pièce, un sombre et terrible silence s'installa.

La comtesse, qui détestait se montrer aussi dure, s'empressa de congédier sa nièce :

– Tu peux partir maintenant, Nives.

La jeune fille exécuta une brève révérence et quitta la pièce, la voix toujours bloquée au fond de la gorge. Elle ne

regarda ni le bibliothécaire ni le majordome, qui n'étaient en rien responsables de cette situation. Sa tante non plus n'y était pour rien : depuis sa naissance, elle suivait les règles. Après avoir refermé la porte derrière elle, la princesse dévala l'escalier.

Elle sortit dans le jardin et continua à courir aussi vite qu'elle le pouvait.

Les larmes coulaient de ses yeux avec une telle prodigalité qu'elles semblaient ne jamais devoir s'arrêter.

«Pourquoi moi, mon père? se demanda-t-elle au milieu de ce torrent de larmes. Pourquoi?»

Son esprit ne recelait aucune réponse, seulement l'irrépressible envie de filer loin, très loin.

Une racine qui dépassait du sol la fit trébucher. Nives tomba par terre, le nez dans l'herbe. Elle resta là sans bouger, sentant le sol pulser sous ses joues baignées de larmes : il avait le parfum de l'été. C'était sa terre, elle ne pouvait s'enfuir. Elle devait se relever et lutter.

~*~

Le pauvre Haldorr ne pouvait trouver la paix. Il faisait les cent pas dans la bibliothèque, sans cesse de brasser l'air et de maltraiter ses cheveux.

Une coutume cruelle

– Tu saisis, Gunnar ? Tu saisis ? répétait-il à son interlocuteur, qui était venu à lui lorsqu'il avait été informé des noces de Nives avec le prince Herbert. C'est comme si c'était ma faute ! Mais je ne peux rien y faire : c'est la loi. Ce sont nos règles ! Et nous ne pouvons nous en passer ! C'est le fondement même de notre royaume !

Gunnar aboya doucement. Il était d'accord avec le bibliothécaire, comme l'était la majorité des habitants du château. Tous connaissaient les coutumes d'Arcandide, mais nul n'avait le cœur de féliciter la princesse ou la comtesse à propos de la décision prise.

Entre une fournée de biscuits et une tourte, Arla et Erla discutaient de l'affaire, mais, dès qu'elles entendaient un bruit de pas, elles changeaient de sujet. Plus le moindre espoir de voir Nives entrer dans la cuisine pour puiser en cachette dans les pots de confiture. La comtesse rajoutait constamment de nouveaux noms à la liste des personnes invitées à la cérémonie. Olafur et les manchots accomplissaient leurs tâches sans broncher. Quant à Helgi, il ignorait tout de la situation.

– Tout va de travers, Gunnar ! ressassait Haldorr. Depuis le tout début, je t'assure ! Depuis le jour où cet homme est arrivé ici.

Une coutume cruelle

Fixant le loup, qui suivait chacun de ses mouvements, il soupira :

– Ah, si seulement tu pouvais me comprendre !

Gunnar s'approcha et Haldorr le caressa entre les sourcils.

– Je sais que tu me comprends plus que tout autre animal !

Le loup attendit patiemment que le bibliothécaire poursuive ses confidences.

Une coutume cruelle

– Jamais on n'a vu de tempête de neige comme celle de ces dernières semaines. On dirait qu'elle a été provoquée exprès pour empêcher quiconque d'atteindre Arcandide. Pour l'isoler des autres royaumes.

Gunnar poussa un léger grognement.

– Eh oui, mon ami, oui… Pour que les autres ne puissent venir à nous et pour permettre à une personne en particulier de demeurer ici. Une tempête de neige avec du brouillard au printemps, ce n'est pas possible !

Le loup se frotta aux jambes d'Haldorr, puis alla à la fenêtre regarder au-dehors.

– Impossible, certes, à moins de recourir à des sortilèges agissant sur les nuages et les nappes de brouillard. Tu me suis ? Après toutes ces semaines de frimas, j'y ai pensé et j'ai vérifié… C'est une chose que l'on parvenait à faire, mais en utilisant des ouvrages interdits, comme les livres de magie que le Roi sage a détruits une fois pour toutes. Il s'agissait de magie malfaisante, Gunnar, une

magie qui ne doit plus exister, et qui avait d'ailleurs disparu. Nous avons des exemplaires de ces ouvrages dans la tour, seulement pour pouvoir nous défendre au cas où... quelqu'un continuait à en faire usage. Une tempête de neige au printemps ! Quand on commence à se méfier, on n'en finit pas.

Gunnar montra les dents.

– Moi aussi, j'y ai pensé. Tu te souviens de l'invitation avec laquelle il s'est présenté ? C'est l'une des douze que nous aurions dû envoyer grâce aux phoques voyageurs. L'une d'entre elles !

Le bibliothécaire montra au loup la boîte laquée, colorée de rouge et de turquoise, avec les onze cartons blancs.

– Tu ne peux évidemment pas les lire, car ils ne te sont pas destinés, mais il n'y en a que onze, tu vois ! Je ne les ai jamais expédiés. Comment son invitation pouvait-elle manquer ? J'y ai réfléchi pendant des jours et des jours, et... juste hier, quand Calengol a attaqué Nives... j'ai trouvé la réponse !

Il montra au loup une plume rouge. Une plume de corbeau.

– Un peu avant l'arrivée du prince Herbert, Calengol a assailli les cuisines. Je pense qu'il ne l'a pas fait uniquement pour nous effrayer.

Gunnar se rappela l'incident.

– Si, d'une manière ou d'une autre, Calengol a eu vent de ces invitations, l'un de ses corbeaux a pu voler jusqu'ici et dérober celle du prince de Lom. Pour me souvenir de tous les cartons que j'avais déjà rédigés avec l'encre de l'Hekta, j'ai noté le nom du destinataire en clair sur chaque enveloppe. Dès lors, il ne restait plus au volatile qu'à attraper la bonne avec son bec… et à l'apporter au prince. Il était déjà au château. Mais comment était-il venu ? Je suis descendu contrôler les registres des bateaux au port. Herbert n'avait embarqué sur aucun d'eux. C'est comme s'il était… apparu subitement !

Alors Gunnar se dressa, l'air décidé.

– Mais cela signifierait que Calengol et… Herbert… s'étaient d'une certaine manière… entendus. C'est affreux rien que d'y penser ! Du reste, il n'y a pas moyen de le savoir ou de le prouver. Ce n'est peut-être qu'une élucubration élaborée par une vieille caboche revenue de tout, comme la mienne… Herbert de Lom… Tu vois son nom sur le livre des dynasties des Cinq Royaumes ? C'est l'un des plus jeunes enfants des Lom. Il ne devrait guère avoir plus de treize ans ! Je ne trouve notre hôte certes pas très vieux, mais à ce point… Quand on commence à se méfier, Gunnar, on

n'en finit pas ! Et on devient enragé ! Si je savais Nives heureuse, je n'aurais jamais songé à tout cela ! Mais… que fais-tu, Gunnar ?

Le loup avait sauté sur la table et renversé la boîte en bois rouge et turquoise avec les onze invitations. Il avait ensuite délicatement saisi les cartons avec ses crocs.

– Que fais-tu ?

Le loup retira des mains du bibliothécaire le livre des

dynasties des Cinq Royaumes, le posa par terre et mit la patte sur le nom d'Herbert de Lom.

Puis il alla vers le petit bureau et chercha la fiole d'encre de l'Hekta, sous le regard stupéfait d'Haldorr. On eût dit que le loup cherchait à lui dire quelque chose.

– Onze invitations... Tu veux que j'en écrive de nouveau une douzième ? Pour Herbert... n'est-ce pas ? Et que je les envoie ? Mais la comtesse a ordonné d'arrêter les préparatifs pour la fête de fiançailles et d'organiser à la place le banquet de mariage ! Comment ? Le faire en secret ? Toi et moi ? Mais... nous ne pouvons pas ! Je ne suis qu'un simple bibliothécaire, Gunnar... et toi, rien qu'un loup !

Haldorr scruta le regard fixe du loup blanc et, pendant un interminable instant, un frisson lui parcourut le dos. C'était comme s'il avait entrevu quelque chose au fond de ses énormes pupilles.

– Mais alors, qui es-tu vraiment ? murmura le vieil homme, captivé par le regard de l'animal.

Puis, sans attendre de réponse, il s'assit à sa table.

– Nous les expédierons dès demain. Et nous verrons bien ce qui se passe, conclut Haldorr.

24
En visite

Berbert de Lom était franchement satisfait. Enfin, les choses allaient dans la bonne direction. Bientôt, Nives serait son épouse et Arcandide son royaume. Il savait que la cour ne l'aimait pas, mais ça lui était égal. Une fois devenu roi, il découvrirait le secret qu'il cherchait.

Près d'une semaine après l'annonce du mariage, quand toutes les invitations à la cérémonie avaient été expédiées, y compris celles transmises en secret par Haldorr et Gunnar, Helgi se présenta à la cour.

Il portait un panier rempli d'appétissantes oranges et ignorait tout du projet de noces.

Quand il le découvrit, il se contenta de secouer la

tête, confiant aux deux cuisinières avec lesquelles il mangeait :

– D'après moi, il n'y aura pas de mariage.

– Balivernes ! Tout est déjà prêt ! Sous peu les invités arriveront !

Mais Helgi n'en démordait pas :

– Nives ne m'a rien dit. Pour moi, cela signifie que cela ne se fera pas.

Au même moment, Nives et le prince Herbert avaient une entrevue avec la comtesse. Au milieu d'eux trônait le panier d'oranges.

– Nous ne pouvons négliger nos engagements et nos promesses solennelles, commença la comtesse. Ce serait malséant.

Herbert écoutait en silence.

– C'est pourquoi j'ai pensé qu'aujourd'hui vous pourriez faire votre première visite officielle.

– Avant même de nous marier ? demanda Nives, étonnée.

– Tu connais parfaitement l'usage voulant que la princesse se rende au village au début de l'été, répliqua sa tante.

– Je peux y aller avec Gunnar, comme nous l'avons toujours fait ! plaida Nives.

En visite

La noble dame secoua la tête et dit :

– Je propose, quant à moi, que vous y alliez en délégation princière. Nives, tu présenteras ainsi au village ton futur époux.

– Vous avez donc un village ? s'enquit alors Herbert en feignant de ne pas le savoir.

– Oui, prince. Il est de l'autre côté du royaume et ne compte que quelques âmes, des sujets honnêtes et loyaux, répondit la comtesse.

– Je serais ravi de m'y rendre. Quand partons-nous ?

– Ma tante… s'il vous plaît… implora Nives.

– Dès maintenant. Nous avons déjà un retard impardonnable ! conclut la comtesse. Et quand vous reviendrez… tout sera prêt pour les noces.

Nives sentit comme un poignard lui transpercer le cœur.

L'expédition fut préparée à toute vitesse. Gunnar donna des instructions très claires à ses loups : ils devaient protéger Nives de tout le monde, même de son fiancé. L'escorte compterait six loups, Gunnar marchant en tête pour ouvrir la voie. Herbert ferait le voyage sur son cheval noir, Nives sur un cheval blanc. Derrière eux, un traîneau doré porterait les fruits du Grand Arbre.

Juste avant le départ, on découvrit la petite Tallia

cachée sous les toiles huilées qui protégeaient le chargement. Elle se mit alors à courir facétieusement à travers toute la cour, poursuivie par le personnel de service et bientôt attrapée par l'un des loups.

Nives fut la dernière à paraître, en haut des marches menant à l'entrée du château. Son arrivée fut annoncée par un prodigieux cri de Tallia, qui creva l'air limpide de la journée :

– Tu es magnifique !

Nives avait revêtu une robe blanc et or, à la jupe très ample et au corsage étroit, brodé de motifs dorés. Les manches, étroites elles aussi, finissaient en pointe sur le dos de ses mains fuselées.

Ses cheveux étaient relevés en une savante coiffure verticale, soutenue par des tresses et des épingles serties de pierres précieuses. Juste au-dessus de son front, un fin diadème de diamants en assurait le maintien.

Elle ressemblait à une véritable reine.

La comtesse Berglind fut chavirée de bonheur.

Du haut de la tour de la bibliothèque, Haldorr admirait pareille beauté en serrant les poings, faute d'avoir trouvé le moyen d'atténuer la sévérité du protocole royal. De l'autre côté des fenêtres des cuisines, Erla et Arla soupiraient comme deux parentes affectueuses.

En visite

Sans un mot, Nives monta sur le cheval blanc. Il n'y eut ni applaudissement ni aucune autre manifestation festive, et le cortège se mit en marche.

En cette journée ensoleillée, les tempêtes de neige n'étaient plus qu'un lointain souvenir. Le prince et la princesse voyageaient côte à côte, selon l'usage du royaume.

De temps à autre, Nives racontait à Herbert quelque anecdote sur les lieux qu'ils traversaient mais, le plus souvent, c'est lui qui posait des questions.

Laissant derrière eux le port et, sur leur gauche, les montagnes dissimulant le Grand Arbre, ils empruntèrent la route des Rois pour gagner l'intérieur du royaume et mirent le cap sur le Haut Plateau oriental, où, depuis des siècles, entrait régulièrement en éruption le grand geyser. Le «Souffle du monde» s'élançait alors vers le ciel. Le père de Nives, qui, lorsqu'il régnait encore sur les glaces, aimait à le contempler, l'avait nommé ainsi.

La petite troupe progressa lentement vers l'est.

Traversant une succession de plaines, elle gravit sans hâte le Haut Plateau oriental.

La mer des Passages, barrée d'énormes icebergs bleutés semblables à de véritables montagnes en mouvement appelés les Sentinelles, étincelait à l'horizon. À

l'est, on apercevait de lointaines colonnes de fumée montant dans le ciel d'azur.

– Ce sont les trois Grands Volcans, expliqua Nives, qui connaissait son royaume par cœur. Le plus haut s'appelle Hekta et, deux fois par an en moyenne, il crache des cendres et des fragments de lave. Le deuxième se nomme Bredan : il est plus paisible, mais fume toujours. Enfin, le Turos, qu'on voit là-bas, sort directement des glaces. Une fois, de loin, j'en ai vu la lave. Elle est rouge comme une pierre précieuse et liquide comme la mer.

– J'imagine que personne ne vit là.

– À part le village où nous nous rendons et le port, le royaume n'est guère peuplé. Jadis, une grande forêt s'étendait là-bas, ajouta Nives en désignant un point au sud. Elle a été détruite pendant la guerre. C'est ainsi que les arbres ont disparu.

– Était-elle habitée ?

– Oui, et les habitants ayant refusé d'abandonner la forêt, ils sont tous morts, sauf un, qui était en vie jusqu'à récemment. C'était Calengol, la créature que vous-même avez tuée. Il tenait mon père pour responsable de l'incendie et avait juré de se venger.

– Or ce n'était pas la faute de votre père ?

– Non ! C'est un chevalier du Vieux Roi qui a mis le

En visite

feu à la forêt. Mais à quoi cela rime-t-il de raconter tout cela aujourd'hui ? Quelle que soit la manière dont c'est arrivé, le passé est le passé.

À la tombée de la nuit, le petit groupe atteignit le village. Dans la dernière partie du trajet, le paysage avait radicalement changé. Les vastes plaines avaient cédé la place à des collines pierreuses et à des gorges taillées dans la lave, qui s'étendaient jusqu'à la mer. Quant au village, c'était

un groupe de maisonnettes entouré par une muraille de roche noire, au sommet d'une vaste moraine. Une vallée minérale, parcourue par un fleuve glacial, impétueux et gris, se prolongeait jusqu'à une immense étendue de glace : la mer Immobile. Bleue et scintillante, la mer inerte du nord du royaume se déployait devant eux.

– Mettez cela… murmura Nives en tendant au prince une paire de lunettes aux verres doublés d'une résille métallique pour se protéger les yeux de la réverbération. On ne s'habitue pas facilement à la mer de glace.

Ils furent accueillis par le chef du village, un petit homme maigrichon au regard fier et franc. Tenant ses mains l'une dans l'autre, il les frottait comme deux silex en attendant de se rendre utile.

– Soyez les bienvenus ! déclara-t-il d'un ton solennel.

Et il le pensait vraiment, tout heureux de bénéficier du privilège d'aider la princesse à descendre de cheval. Puis il fit signe à un garçon de s'occuper de l'animal.

– C'est une joie d'être ici ! répondit Nives en lui tendant la main.

Resté silencieux, le prince mit pied à terre sans assistance aucune et confia au garçon les rênes de sa monture.

Les villageois le dévisageaient avec curiosité, impatients de se le faire présenter.

En visite

Nives fut contrainte de les satisfaire.

– Citoyens du village, je suis parmi vous aujourd'hui pour une raison particulière : voici le prince Herbert de Lom, mon fiancé ! annonça-t-elle d'une traite pour ne pas penser à la boule qu'elle avait à l'estomac.

Les gens se mirent à applaudir et à se réjouir.

– Eh bien, il faut fêter l'événement ! clama le chef du village.

Le traîneau où se trouvaient les oranges fut rapidement déchargé et les fruits déposés sur des plats en bois apprêtés en toute hâte. De longues tables de pierre furent disposées sur les quatre côtés de la place centrale.

Un feu fut allumé avec des brindilles et de la tourbe pressée, puis attisé jusqu'à monter aussi haut que les toits des maisons. Des femmes sortirent des poissons de leurs paniers et les déposèrent précautionneusement sur une grosse grille en fer, qui fut placée au-dessus du feu.

À tour de rôle, les hommes se présentèrent au prince, chacun lui racontant une anecdote tirée de sa vie quotidienne. Herbert écoutait avec patience et un intérêt étudié.

Quant à Nives, une femme s'approcha d'elle et lui dit :

– Ce serait pour moi un immense honneur si vous vouliez bien venir voir mon dernier-né.

La princesse la suivit à l'intérieur de sa modeste demeure.

Le minuscule nourrisson dormait dans un berceau de chiffons. Quand Nives s'approcha de lui, ses petits yeux clairs s'ouvrirent subitement et sa bouche édentée esquissa un merveilleux et très tendre sourire.

– C'est la bienvenue la plus belle et douce qu'on eût pu me souhaiter ! commenta Nives en embrassant le petit et en félicitant sa mère. Vous avez bien de la chance !

– Je vous souhaite la même bonne fortune bientôt, princesse Nives !

Sans un mot et l'estomac étrangement noué, Nives ressortit sur la place, où les premiers poissons grillés dégageaient une bonne odeur fumée.

Le chef du village s'était un jour procuré un rustique violon, avec lequel il égayait les veillées festives de la communauté autour du feu. D'un geste assuré, il le

glissa sous son menton et souleva son archet, à savoir un bâton aux deux bouts duquel était attaché un tendon d'animal.

Lorsqu'il frotta l'archet sur les grossières cordes de l'instrument, celui-ci produisit un son à la fois clair et mélancolique. Une femme y joignit sa douce voix, déroulant un chant d'une grande richesse mélodique, passant des notes les plus graves aux plus aiguës. Il évoquait le froid, la neige et le vent.

La chanteuse racontait l'histoire d'un garçon qui n'était jamais rentré à la maison et qui depuis courait parmi les loups. La musique semblait jaillir des profondeurs mêmes de cette terre froide, avec la force, la chaleur et l'énergie d'un volcan en éruption.

Si les loups pouvaient pleurer, ce soir-là Gunnar l'aurait fait, car c'est de lui que parlait ce chant.

25

Retour à Arcandide

Gunnar se réveilla en sursaut, comme remonté du fond d'un puits noir.

Il n'avait pas dormi d'un sommeil aussi profond, émaillé de rêves aussi intenses, depuis très longtemps. Il regarda autour de lui et aperçut la silhouette de Nives qui bougeait légèrement sous ses couvertures.

La princesse semblait faire un cauchemar : elle plissait le front et avait l'air inquiet.

Le loup rampa lentement jusqu'à elle et, à légers coups de museau, il la réveilla.

– C'est toi, Gunnar ?

Le loup continua à l'observer. La côtoyant depuis sa plus tendre enfance, il la connaissait mieux que

quiconque. Il l'avait vue grandir, devenir adulte et responsable, mais aussi de plus en plus belle, tandis que lui, prisonnier du sortilège qui lui avait sauvé la vie, voyait sa dense fourrure de loup grisonner lentement.

– J'ai rêvé de mon père, lui confia Nives en secouant la tête pour dissiper de pénibles pensées. C'était un beau rêve, mais qui est soudain devenu horrible.

Un insecte à la carapace cobalt s'envola loin d'eux. Gunnar le vit disparaître dans le ciel clair précédant l'aurore, et l'oublia.

Nives s'assit sur les couvertures de sa couche de fortune.

– Tu ne me caches rien, n'est-ce pas ? demanda-t-elle à l'animal en caressant son énorme tête. Et tu seras toujours à mes côtés ?

Il hocha la tête.

– Il y a une chose que tu ignores encore à mon propos… chuchota-t-elle. C'est arrivé il y a très longtemps, peu avant la mort de mon père. Il m'a appris un court poème en me demandant de le tenir secret, même au péril de ma vie. Il m'a expliqué qu'y étaient dissimulées la clé et l'harmonie de tout ce qui faisait le Grand Royaume. Il a précisé que ces vers étaient à moi, rien qu'à moi. Et que je ne pourrais les partager qu'avec… Oh, mon Dieu !

s'exclama Nives en entendant des bruits à l'extérieur de la tente… qu'avec l'homme que j'aimerais.

Gunnar se rapprocha et Nives l'attira à elle.

– Je ne veux pas qu'Herbert en prenne connaissance, murmura la princesse. Ce n'est pas celui que j'aime, seulement celui que je suis contrainte d'épouser !

Gunnar lui donna de nouveaux petits coups de museau.

– Je ne suis pas obligée de le lui dire. D'ailleurs il ne le découvrira jamais. Le texte du poème est en lieu sûr à Arcandide, caché dans mon refuge secret…

Nives leva alors trois doigts de sa main droite.

– Mais là-dessus, pacte à trois ! prévint-elle. Je ne peux parler de cet endroit à quiconque, même à toi, sinon Thina et Tallia m'en voudront !

Plus tard, Nives et le prince quittèrent les tentes, remercièrent les gens du village et promirent de revenir après le mariage.

~*~

Tous s'engagèrent sur le chemin du retour. Chacun ayant l'esprit perdu dans ses pensées, le voyage fut plus silencieux qu'à l'aller.

Retour à Arcandide

Lorsqu'ils rentrèrent au château, une longue attente commença.

Les journées se succédaient, lentes et inexorables. Enfermée dans sa chambre, Nives passait son temps à lire et à écrire. Et, malgré les efforts de Thina et de Tallia pour la faire sourire, elle avait toujours l'air résigné, comme si le mariage imminent l'avait privée de sa joie de vivre.

La comtesse arrangeait méticuleusement les tables en vue de la réception, suivie d'Olafur, qui exécutait tous ses ordres avec zèle.

Gunnar scrutait la mer, espérant recevoir bientôt de bonnes nouvelles. Il s'attardait également longtemps à la bibliothèque pour essayer d'en apprendre davantage sur le poème dont avait parlé Nives. Mais, faute de pouvoir se confier à Haldorr, la tâche était presque impossible.

Il n'y avait qu'un moyen de vérifier ce dont il s'agissait : communiquer avec Nives.

~*~

Le loup blanc frappa à la porte de la princesse avec une telle détermination qu'il faillit l'effrayer.

– Que se passe-t-il, Gunnar ? Que veux-tu ?

Il se dirigea vers un coin particulier de la pièce, s'approcha de la table de chevet et saisit avec ses crocs le livre qu'elle lisait chaque soir, *Petits poèmes pour une bonne nuit.*

– Que fais-tu ?

Gunnar lui apporta l'ouvrage.

« Le poème, pensa Gunnar, le poème, Nives ! Je veux en savoir plus sur le poème de ton père. »

– Tu veux entendre un peu de poésie, Gunnar ?

Le loup secoua la tête. Il prit délicatement la main de la princesse et la mena, par les couloirs, jusqu'à la salle du trône. D'un seul élan, il y entra et la conduisit vers le siège réservé au souverain.

Puis, du bout du museau, il poussa le livre.

– Gunnar ? Qu'est-ce que… qu'est-ce que tu cherches à me dire ?

« Le livre pour une bonne nuit. Les rêves. Tes rêves. Le poème », pensait le loup.

Soudain, Nives comprit.

– C'est à propos du poème de mon père ?

Gunnar aboya.

– Quoi donc ?

Le loup blanc gronda doucement.

– Tu penses qu'il est… en danger ?

Gunnar fit alors mine de creuser la glace et de déplacer les tapis.

– Personne n'a pu le trouver. Il ne…

Tout à coup revint à l'esprit de Nives ce que Tallia lui avait raconté quelques semaines plus tôt. Elle avait surpris le prince Herbert dans les cuisines, qui chantait une étrange ritournelle.

Ritournelle. Vers. Poème.

– Oh non ! murmura-t-elle.

Sans un mot de plus, elle sortit et, suivie de Gunnar, monta jusqu'au dernier étage du château. Après avoir passé une très petite porte que le loup ne parvint à franchir qu'en plaquant son ventre à terre, ils se retrouvèrent dans les combles.

Marchant à quatre pattes, Nives progressait avec assurance.

Ils atteignirent une seconde porte, la poussèrent et s'enfoncèrent dans une étroite galerie. Il faisait froid là-haut et, mis à part quelques rais de lumière filtrant à travers la glace, sombre aussi.

Retour à Arcandide

Nives s'immobilisa devant une plaque de fer noire, solidement fixée à la paroi pour consolider les murs du château. Elle la frappa trois fois, attendit un instant et recommença.

La plaque émit un léger bruit, puis, avec un grincement soumis, elle s'écarta. Nives et Gunnar pénétrèrent dans une minuscule cellule.

Il y faisait tout noir mais, au terme d'une brève attente, ils purent distinguer certains objets, échoués là comme les pièces d'une collection oubliée.

C'était le trésor de Nives.

– Et là… tu vas voir… chuchota la princesse.

D'une main experte, elle reconnaissait chaque chose dans l'obscurité.

La princesse se tourna vers la deuxième étagère à partir du bas et tâta tout autour d'elle. Elle toucha un petit étui en peau de forme cylindrique, le saisit et le ramena à elle. D'une main, elle balaya la poussière qui le recouvrait.

Puis elle regarda son loup.

– C'est ça. Veux-tu que je l'ouvre ?

Il opina du museau.

D'un côté de l'étui, Nives dévissa un couvercle circulaire, révélant la présence d'un cylindre de cuivre à

Retour à Arcandide

l'intérieur de sa protection en cuir. Dedans était enroulée une feuille d'argent, fine comme du papier vélin.

– Tout va bien, Gunnar. Le poème est là.

Le loup poussa un soupir de soulagement et se coucha contre sa maîtresse.

– Tu redoutais qu'il n'y soit plus ?

L'animal posa son énorme patte sur la main gauche de Nives et, avec une incroyable délicatesse, caressa son annulaire avec l'une de ses griffes.

Nives comprit immédiatement ce qu'exprimait le loup.

– Le mariage ? Herbert ? Tu crois qu'il veut s'emparer de ce poème ?

Gunnar fixait la feuille avec des yeux brillants. Il ignorait ce qui y était écrit, mais savait que c'était un secret. Le secret du royaume des Glaces éternelles.

– Je… je l'ai toujours soupçonné, mais c'était comme si personne… même mes cousines… ne me croyait…

Nives repensa à la nuit où elle et Thina avaient suivi le prince, et, durant leur visite au village, à son comportement particulièrement attentionné et protecteur, digne du mari idéal. Aimable et gentil. La princesse regarda le vieux cylindre et sa feuille d'argent. C'était son trésor, le plus cher et le plus précieux qu'elle eût.

– Il ne réussira pas ! déclara Nives, assise sur le sol de son refuge insoupçonné, à côté de son fidèle loup blanc.

Nives était convaincue que ce poème avait une grande importance. Elle l'avait toujours su. « Le Chant du sommeil » était très ancien et conférait une puissance considérable à celui qui en connaissait les paroles. Il comportait cinq couplets, cinq courts poèmes. L'un d'eux avait été révélé à Nives, princesse du royaume des Glaces éternelles, et les quatre autres confiés à la garde de ses sœurs.

Ces paroles recelaient l'énergie assurant la parfaite cohabitation de tous ceux qui peuplaient les Cinq Royaumes :

animaux, plantes, hommes et créatures de toute nature, lui avait dit le roi. Mais elles détenaient aussi un pouvoir obscur, auquel Nives n'avait pas été initiée, mais qui, savait-elle, pouvait menacer son royaume et celui de ses sœurs.

Quand son père avait proscrit la magie et tout enchantement des Cinq Royaumes, il avait expliqué à Nives : « L'imagination est source de richesses, ma fille, pas la magie, qui n'engendre que tromperie et duplicité. Ne l'utilise jamais ! »

– Oh, papa, comme tu me manques ! Comme j'aimerais que tu sois là ! murmura Nives.

Puis elle contempla Gunnar et caressa son poil blanc et touffu. Son père lui avait dit qu'elle pourrait révéler son poème seulement à l'homme dont elle serait amoureuse. Celui avec lequel elle partagerait le trône d'Arcandide.

– Si seulement c'était toi, Gunnar ! Si seulement tu pouvais parler !

Nives sanglota. Elle aimait son loup, elle l'aimait de tout son cœur.

– Écoute-moi bien, Gunnar. Voici ce que tu dois connaître...

La princesse se mit alors à chanter à voix extrêmement basse des paroles remontées à sa mémoire comme les vestiges d'une embarcation à la surface de l'eau après le naufrage.

Retour à Arcandide

Mais elles étaient toutes là, prêtes comme des soldats en ordre de bataille, chacune à son poste, car c'est seulement ainsi que le charme opérait.

– Reine du plus profond des sommeils,
Souveraine de la paix du monde,

Imagination, des terres de glace je t'appelle.
Libère ton grand pouvoir de toute entrave profonde.

Enchaîne le vil tyran à son éternel sommeil
Pour que, grâce à toi, les Cinq Royaumes soient féconds.

Retour à Arcandide

Elle ne les prononça qu'une fois, d'une voix intense et émue, tant était grand le risque qu'on les entende. Imagination, tranquillité et fécondité.

Tels étaient les termes de l'harmonie et de la puissance positive garantissant la cohésion du Grand Royaume.

– Mon père l'appelait « Le Chant du sommeil », confia tout bas Nives en désignant la feuille d'argent.

Les paroles qu'elle venait de chanter y avaient été gravées par un orfèvre.

Gunnar ne comprenait pas. Il ne savait pas, ne pouvait savoir.

Il sentait son cœur battre furieusement. Et la voix lointaine d'Alifa hurlait dans sa tête : « Tu ne peux révéler à quiconque qui tu es ! En aucun cas ! »

26
L'arrivée
des princes

L e mariage devait être célébré trois jours plus
tard.

Le rite du froid et de la lave avait été exhumé
des annales de la bibliothèque, et, bien à contrecœur,
Haldorr en dirigeait toutes les opérations.

Il fallait un piédestal de glace, une dalle en or gravée
aux noms des deux époux et un feu alimenté de bois
uniquement pour faire fondre la glace.

Arla et Erla tourbillonnaient dans la cuisine, diver-
geant comme toujours quant à ce qu'il fallait préparer.

– J'en ai assez de t'entendre ! déclara Erla, passable-
ment irritée. Cette fois, je prépare le dindon à ma façon.
Rôti, un point c'est tout !

L'arrivée des princes

– Fais comme tu veux, mais il ne sera pas cuit à temps !
la titilla Arla pour essayer de la faire changer d'avis.

– Eh bien, voyons ce que propose madame Je-sais-
tout ! rétorqua Erla.

Et de s'essuyer les mains sur son tablier plus blanc que
neige. À la différence de sa sœur, Erla, réglée comme
une horloge, le lavait tous les jours, suscitant les inces-
santes moqueries d'Arla.

– Il faut le cuisiner bouilli, bien sûr ! répliqua Arla.

– Bouilli ? Mais que me chantes-tu là ? Personne n'a
jamais cuit un dindon à l'eau !

– Ah non ? Notre mère pourtant si, et souvent encore !
Mais dans ces moments-là, tu devais baguenauder de ton
côté, au lieu de donner un coup de main aux fourneaux !

Erla était certainement la plus décontractée des deux,
aussi quand Arla se mettait vraiment en colère, elle ne
manquait jamais de reprocher à sa sœur ses moments de
distraction.

– Quand bien même ce serait vrai… moi, au moins, je
me serais amusée ! De toute façon, je n'ai pas le souvenir
d'avoir jamais mangé du dindon… bouilli ! insista Erla.

– Tu ne t'en es peut-être pas aperçue. Tu as le palais
aussi délicat que le cratère d'un volcan ! persifla Arla.

– Tu prétends toujours en savoir plus long que les autres,

pas vrai ? Ça suffit ! Cette fois, tu m'as poussée à bout. Fais comme bon te semble et débrouille-toi toute seule !

Ce sur quoi Erla enleva son tablier et le jeta sur la table couverte de farine, soulevant un nuage blanc. Arla secoua la tête et prit une grosse marmite pour y faire bouillir sa volaille.

– Inutile de faire un tel tapage ! maugréa-t-elle.

Entre-temps, aux écuries, quatre manchots munis d'escabeaux étrillaient et brossaient le cheval noir du

L'arrivée des princes

prince, qui s'apprêtait à partir à la chasse. Olafur en personne lustrait ses bottes et son mousquet.

Lorsque tout fut prêt, Herbert, habillé de pied en cap, endossa un manteau et sortit dans la cour. Il portait un pantalon de velours bleu descendant jusqu'aux genoux et garni de brandebourgs dorés, ainsi qu'une veste à la carrure large et au col étroit, fermée par neuf boutons également dorés.

Sa tenue n'était guère dans le ton du royaume des Glaces éternelles, mais pas moins élégante.

Sa chemise ivoire se terminait par un petit col haut et rigide, qui mettait en valeur son puissant cou. Ses bottes, parfaitement cirées, étaient bridées sur le dessus du pied par une boucle en or carrée, qui cliquetait à chaque pas.

À son flanc gauche pendait son épée et, côté droit, une paire de lourds gants sombres.

Herbert s'inclina en direction de la fenêtre de Nives, présenta ses hommages à la comtesse, sortie sur le balcon pour le saluer, et ébouriffa les deux fillettes, qui s'amusaient à sillonner la cour en criant.

Enfin, il monta sur son cheval.

Nives sentit une forte oppression dans son corps. Lorsque le prince franchit la grande porte et que le pont-levis le laissa passer, la princesse souhaita qu'il ne revînt jamais.

L'arrivée des princes

Elle ne voulait pas qu'il lui arrive malheur, mais seulement qu'il disparaisse, pour toujours, de sa vie.

Nives ferma les yeux et pria pour que son vœu, d'une manière ou d'une autre, se réalise.

~*~

Guère plus de quelques heures après le départ d'Herbert pour sa partie de chasse, l'une des sentinelles postées sur les remparts annonça l'approche d'étrangers à cheval.

– Oh, mon Dieu ! Les premiers invités ! claironna la comtesse en bondissant comme un ressort à travers le salon. Vite, vite ! Ça ici, ça là ! Ça en haut, ça en bas ! Tout doit être prêt ! Olafur, Olafur ! Où est donc Olafur ?

Dès qu'il apprit la nouvelle, Haldorr grimpa, avec ses longues jambes squelettiques, jusqu'au sommet de la tour de la bibliothèque. Une fois là-haut, dominant son vertige, il se pencha pour mieux voir et s'exclama :

– Par la barbe du roi, ça y est ! Ils approchent !

Gunnar ordonna de maintenir le pont-levis abaissé et attendit que le petit groupe parvienne dans la cour. Olafur le rejoignit d'un pas rapide.

La petite foule des étrangers franchit le pont dans un grand tumulte de selles cliquetantes et de sabots. Il y

L'arrivée des princes

avait au moins cinquante personnes. Les cavaliers de tête mirent pied à terre, fixant avec surprise le major-dome et le loup venus les accueillir.

Le premier à prendre la parole avait de longs cheveux cuivrés et le visage de la même couleur.

– Je suis le prince Kabadi, du royaume des Sables, et j'ai été invité au mariage de la princesse Nives, annonça-t-il d'un ton décidé.

L'arrivée des princes

Désignant les hommes juste derrière lui, il ajouta :

– Voici ma suite !

Olafur le salua très courtoisement :

– Bienvenue à Arcandide, prince Kabadi. La comtesse Berglind vous attend dans le salon des Étincelles, en haut de l'escalier. Ce manchot vous escortera. Vos compagnons peuvent suivre les loups de ce côté, pour prendre leurs quartiers dans les pavillons des invités.

Puis se présentèrent les autres arrivants. Un prince venait du royaume des Forêts et un autre des Grottes enchantées du royaume de l'Obscurité. Étaient également présents les jumeaux du royaume des Coraux, porteurs d'écrins en coquillage, ainsi que le prince des Fées, assis sur un minuscule coffret à bijoux volant. Le prince des Ogres avait fait porter une lettre pour s'excuser de ne pouvoir participer aux réjouissances, car aucun bateau n'était capable de transporter sa lourde et royale personne d'un port à l'autre de la mer de la Fantaisie.

Chaque fois qu'un prince se faisait connaître, Gunnar éprouvait un sentiment de déception. Et le dernier d'entre eux était carrément un gamin, sans encore le moindre poil de barbe.

C'était un jeune garçon aux cheveux longs jusqu'aux épaules et au doux visage de musicien. Il avait fait le

L'arrivée des princes

voyage jusqu'à Arcandide en compagnie d'un oncle et tuteur, soucieux que rien de fâcheux ne lui arrive.

– Je suis le prince Herbert de Lom ! déclara-t-il, tout fier.

– C'est son premier voyage, expliqua son compagnon avec un sourire incisif.

Pour la première fois de sa vie, l'irréprochable Olafur bredouilla, en proie à l'incertitude :

– Ah, bien sûr… Voilà… Soyez le bienvenu, prince Herbert de Lom !

Et il lui désigna en tremblant les marches du perron.

Ce prince de Lom n'avait rien à voir avec l'homme qui, depuis plusieurs semaines, vivait à la cour sous le même nom.

Gunnar se mit à hurler pour appeler ses loups au rassemblement.

Un instant plus tard, ils avaient disparu.

– Vous avez entendu ? Un imposteur ! s'écria Olafur en se précipitant à l'intérieur des cuisines, avec un élan que le majordome n'avait jamais connu de toute sa vie.

– Que se passe-t-il ? De quoi parlez-vous ?

L'arrivée des princes

– Herbert ! L'héritier de Lom, ce n'était pas lui ! Le vrai prince est arrivé tout à l'heure ! Et c'est presque un enfant !

– C'est bien ce que je disais ! s'exclama Arla. Ah, ce bellâtre !

– Comment ça, tu le disais ? Tu n'as jamais tenu pareil discours !

– Erla, s'il te plaît ! J'ai dit et répété que cet individu ne me plaisait pas !

– Au moindre regard de lui, tu te serais jetée à ses pieds !

Les deux cuisinières poursuivirent un moment leur prise de bec, puis se souvinrent du majordome et de sa nouvelle inattendue.

– Et le mariage ? Et la comtesse ? Et Nives ? Que disent-elles ? Où en sont-elles ? Que fait-on ? débitèrent-elles en rafale.

Olafur secoua la tête. Il l'ignorait.

– Elles sont en bas dans le salon et… je ne sais. Il me semble… qu'elles discutent, et peut-être…

L'arrivée des princes

Arla se pencha dans le couloir pour écouter.

– J'entends la petite voix de la comtesse Thina.

Et après un premier cri lancinant :

– Ainsi que celle de Tallia.

Les trois domestiques se regroupèrent en tendant l'oreille.

Au bout d'un moment, ils se regardèrent, stupéfaits.

– Je me trompe, lâcha Olafur tout à trac, ou elles rient ?

~*~

Le majordome ne se trompait pas.

La comtesse, Nives et les deux jeunes cousines riaient comme des folles.

Elles s'étaient réunies dans l'antichambre du salon des Étincelles, où les princes conviés aux festivités patientaient, en s'interrogeant sur la contenance à adopter.

– La question est, répétait la comtesse au comble de l'excitation et de l'embarras, qui a invité ce nouveau prince de Lom ?

Émergeant de Dieu sait où, Haldorr n'hésita pas à intervenir :

– Moi, comtesse.

L'arrivée des princes

– Toi ? s'émerveilla Nives.

Elle était euphorique, effrayée et terriblement heureuse.

– Haldorr ! Mais tu n'en avais pas le droit ! Tu as… tu as… commis une faute ! tonna la comtesse.

Baissant la tête, le bibliothécaire murmura.

– Je le regrette, comtesse, mais je devais le faire.

– Et heureusement, tu l'as fait ! exulta Nives en le serrant dans ses bras.

La comtesse regarda Haldorr par-dessous pour lui faire comprendre qu'elle et lui reparleraient de cette affaire en tête à tête. Mais elle décida malgré tout de ne pas le sanctionner.

– Ouiiiii ! piailla alors Tallia, ravie qu'une autre personne qu'elle puisse désobéir sans être punie.

– Quelle nouvelle ! Quelle nouvelle ! claironna de son côté Thina, qui adorait ce genre d'intrigues. Donc maintenant, tu dois épouser le nouvel Herbert ou le premier ?

– Aucun des deux, j'espère ! répondit Nives, amusée.

Puis, regardant sa tante d'un air alarmé, elle l'interrogea :

– Aucun, n'est-ce pas ?

– Je n'en sais rien… Sur les invitations… ne figurait pas le nom de ton fiancé. Ou bien si ? Oh, mon Dieu, je ne m'en souviens pas ! Faites venir Olafur !

L'arrivée des princes

Sur ces mots, elle s'évanouit, tombant avec une précision millimétrique sur le divan.

Tandis que Thina courait chercher le majordome, sa sœur confia à Nives avec un clin d'œil :

– J'ai l'impression que tu l'as échappé belle !

Mais la princesse avait le cœur chaviré.

– Oui, on le dirait, mais… peut-être… peut-être n'est-ce pas encore fini !

La fillette se rembrunit.

Nives se rua à la fenêtre.

– Le faux prince Herbert court toujours là-dehors, en toute liberté…

– Avec Gunnar et les autres loups à ses trousses ! Ils ne le lâcheront pas ! se réjouit Tallia.

Nives songea aux nuits sans sommeil qui l'avaient épuisée, aux tempêtes de neige, à l'affreuse grimace de Calengol qui avait failli l'étouffer dans son lit, aux corbeaux rouges et à toutes les horreurs qu'elle avait subies.

– Oui, Gunnar est sur ses traces… répéta-t-elle en s'approchant de la fenêtre. Mon bien-aimé Gunnar…

Et elle tenta de repousser une désagréable sensation.

27

La chasse

Les loups repérèrent rapidement les traces du faux Herbert et de son cheval. Elles étaient fraîches et faciles à identifier. Ils se dirigeaient vers le nord et les premières collines.

Ces empreintes d'abord linéaires semblaient celles d'une personne qui suivait sans hésiter une seule et même direction. Mais, chemin faisant, les marques étaient plus confuses, comme si le prince avait changé plusieurs fois de cap. À l'endroit où les collines prenaient de la hauteur et où la couche de glace et de terre souple se transformait en pierraille, les traces disparurent. Sur ordre de Gunnar, les loups se divisèrent pour pouvoir inspecter une zone plus large.

La chasse

Gunnar courait, museau au sol, à l'affût du plus petit indice du passage d'Herbert. Gravier, fragments de roche, racines, rien ne ralentissait son allure.

«Je ne permettrai pas que tu reviennes à Arcandide! pensait Gunnar. Tu ne feras plus de mal à Nives.»

Un hurlement retentit à une certaine distance.

Gunnar s'arrêta et revint sur ses pas. L'un de ses loups avait repéré une trace à la hauteur du Tronc noir, vestige d'un arbre séculaire de la forêt Calcinée qui avait été frappé par la foudre.

La chasse

En réponse au hurlement du loup, des oiseaux s'envolèrent des branches hautes du vieil arbre.

Le loup blanc les reconnut : c'étaient les corbeaux rouges.

~*~

Le Tronc noir marquait la croisée de quatre sentiers.

Examinant la seule empreinte laissée par le sabot ferré d'un cheval et la direction qu'elle indiquait, Gunnar décida de suivre la piste à peine tracée qui coupait le sentier couvert de gravier situé à gauche de l'arbre. S'il avait bonne mémoire, elle montait, puis débouchait sur un modeste plateau, fermé par un cirque de montagnes rocheuses au pied desquelles s'étendait un vaste lac gelé.

Il ordonna à ses loups de suivre les trois autres sentiers.

Gunnar estima la hauteur du soleil dans le ciel. Sous peu, le prince devrait demander à sa monture de faire demi-tour pour rentrer à Arcandide.

À moins qu'il eût appris de quelque manière l'arrivée de l'autre Herbert de Lom et décidé de ne jamais revenir.

Auquel cas, laisser passer la nuit voudrait dire le perdre à jamais.

Il ne restait pas beaucoup de temps pour le trouver.

La chasse

«Vite, en route!» pensa Gunnar.

Les pierres du chemin saillaient, tranchantes, sous ses pattes, mais Gunnar ne s'en préoccupait guère. Il galopait au comble de sa vitesse, avec toute la puissance que son corps pouvait libérer. En moins d'une heure, il atteignit le plateau et le lac gelé. Le printemps avait commencé à faire fondre la solide couche miroitante qui le recouvrait et, tout près de la rive, l'eau libérée des glaces tremblotait sous les reflets du soleil.

Gunnar huma l'air.

Lichens, herbes humides et une odeur animale. On eût dit celle d'un cheval.

Le loup plaqua son ventre au sol et se mit à descendre la pente vers le lac. Le prince était passé par là.

Une fois parvenu sur la rive, il s'arrêta. Tout autour du lac pointaient des touffes d'herbe des marécages, dont les tiges disparaissaient partiellement dans la boue noire. Une multitude d'insectes s'élevaient en un essaim que la queue de Gunnar ne réussissait pas à éloigner de ses yeux.

L'odeur de la terre dominant toutes les autres, Gunnar tenta vainement de suivre la trace olfactive du cheval d'Herbert.

Il chercha longtemps, dans la gadoue, des traces de sabots ou de bottes.

La chasse

En vain.

«Pourquoi te caches-tu, prince Herbert? se demanda le loup en regardant autour de lui. Et qu'es-tu venu faire ici? Pourquoi cette forêt?»

Jadis, avant la disparition de la grande forêt, il y avait bien plus d'animaux : des cerfs, des caribous, des écureuils blancs, des oiseaux, qui y déposaient toutes sortes d'œufs, ainsi que de menus prédateurs. Y vivaient aussi quelques ours gris. Mais le plateau était devenu un immense désert de glace. Les rares rennes survivants étaient soignés par les hommes du village.

«Quant aux oiseaux… Des oiseaux!» remarqua Gunnar.

Il lui avait semblé entrevoir un battement d'ailes de l'autre côté du lac, là où la glace s'insinuait comme une langue de serpent à l'abri des rochers.

Il était presque sûr d'avoir vu, derrière un amas de roches noires fracassées par les éléments, deux corbeaux s'envoler.

«Des corbeaux? Mais alors, Haldorr avait raison…»

Le loup blanc se remit en marche, tandis que le soleil déclinait.

Dès qu'il dépassa les roches noires, un coup de mousquet résonna dans la vallée.

La chasse

L'animal était si concentré sur les empreintes et la piste à suivre qu'il avait complètement oublié que le prince était armé.

Il sauta instinctivement de côté, mais ne fut pas assez rapide et ressentit comme une myriade de pointes extrêmement douloureuses se ficher dans l'une de ses pattes arrière. Il fut projeté au sol, le souffle coupé.

Le prince Herbert l'avait touché !

Il gît immobile, puis, comme rien d'autre ne se passait, il tenta de bouger son membre blessé. Lentement, il se remit sur pied, mais s'aperçut qu'il ne pouvait pas même poser sa patte par terre.

Le second coup ne le manqua que d'un poil. Gunnar entendit sauter près de lui des cailloux, dont les éclats frappèrent son museau.

Il avança d'un pas incertain, peinant à bouger son membre atteint. Puis il perçut un battement d'ailes juste au-dessus de lui. Il leva les yeux, regarda au-delà des roches noires et l'aperçut enfin.

La chasse

Les blocs de pierre dissimulaient l'entrée d'une grotte. Devant elle et tout autour du prince Herbert voltigeait une nuée de corbeaux.

L'homme s'appuyait sur son mousquet comme sur un bâton.

– Sale affaire, hein, Gunnar? Être touché maintenant? dit-il à voix suffisamment haute pour que le loup l'entende. Je parie que ça fait très mal...

Gunnar se traîna vers l'avant en grondant.

– Bienvenue dans la caverne de... Comment l'appeliez-vous au château? Calengol, c'est ça? Calengol, oui! ricana le prince Herbert. Moi, je l'appelais... mon stupide serviteur.

Gunnar parvint jusqu'à un rocher, derrière lequel il se tapit doucement en haletant.

Sa patte arrière commençait à se zébrer de rouge.

– Ah, combien de nuits ai-je erré à travers le château afin de trouver le meilleur itinéraire pour le mener à la chambre de Nives! Combien d'heures consacrées à reconnaître les couloirs, les passages ainsi que les murailles les plus faciles à escalader! Un plan parfait...

Les oiseaux virevoltaient nerveusement autour d'Herbert.

La chasse

– Du vent, les corbeaux ! Du vent ! Je ne suis pas votre maître ! Votre maître est mort !

Depuis son abri, Gunnar jeta un coup d'œil à l'entrée de la grotte. Les volatiles ne semblaient guère apprécier la présence du prince.

– Je n'ai fait qu'une erreur, poursuivit Herbert, lorsqu'il les eut éloignés. Ne pas m'être débarrassé tout de suite du fidèle loup blanc de la princesse ! Mais maintenant, comme tu le vois, j'ai le temps d'y remédier !

Le prince jeta à terre son fusil, qui ne lui servait plus à rien, et tira son épée.

Puis, traversant l'amas de roches, il entreprit de descendre vers Gunnar.

– Je n'ai jamais été doué pour manier l'épée… continua-t-il à jacasser. Mon père me le disait toujours. Enfin… que dis-je ? Je ne l'ai jamais connu. Et tu sais pourquoi, loup ? Tu le sais ? Parce que quelqu'un m'a empêché de le connaître ! Quelqu'un de très… très… puissant !

Les cailloux crissaient sous les bottes du prince. La douleur pulsait violemment dans la patte de Gunnar.

– Où te caches-tu, hein, petit loup ? Je sais que je t'ai atteint ! Sors de ta tanière ! Affronte-moi si tu en as le courage !

Gunnar ferma les yeux. Il commençait à sentir sa tête

s'embrumer. Il n'avait pas imaginé que les choses se passeraient ainsi.

Au prix d'un effort considérable, il se mit sur ses pattes et parut à découvert.

Le prince se tenait à dix pas de lui. Il brandissait une épée brillant de l'huile qui avait servi à l'astiquer et froide malgré la lumière du soleil.

Ayant vu Herbert affronter Calengol, Gunnar connaissait la force de son adversaire. Lui, en revanche, se sentait plus faible d'instant en instant.

– Bravo, petit loup, bravo ! s'exclama le prince. Finissons-en dans un combat d'homme à homme !

« Bien dit, pensa Gunnar. Luttons d'homme à homme ! »

Et il bondit.

Le prince fit un saut de côté, esquivant l'assaut de ses griffes. Lorsque la patte blessée de Gunnar toucha le sol, une décharge de douleur la traversa et, l'espace d'un instant, lui raidit toute l'échine. Herbert décocha un coup d'épée, qui effleura la fourrure du loup derrière ses oreilles. Gunnar se déroba, recula et bondit une deuxième fois.

Mais, de nouveau, il manqua le prince. Le loup était lent, alors qu'Herbert, lui, bougeait vite.

La chasse

Saut, coup de patte, immobilisation de l'ennemi. Mais, avant cela, tourner autour de lui et choisir le bon moment.

Gunnar devait absolument être rapide, bien plus rapide.

Sa vision devenait floue, tandis qu'Herbert, en face de lui, riait.

– Allez ! Viens si tu l'oses !

Tête baissée, Gunnar attaqua, mais le prince l'atteignit. Les griffes du loup agrippèrent férocement la boucle de la botte droite de son adversaire.

Herbert réussit à dégager son pied, mais le loup,

puisant dans ses dernières forces, fondit sur lui comme une furie.

Encore une fois, Herbert para son attaque.

Un coup d'épée, un deuxième, un troisième. Gunnar les esquiva, sauf le dernier, qui frappa de biais son membre déjà blessé. Troublé par l'incroyable rapidité de son adversaire, le loup fit un pas en arrière. Sa patte doublement touchée devint dure comme du bois et lui fit perdre l'équilibre. Un instant plus tôt, le loup était sur ses pattes pour affronter Herbert, le suivant, il gisait dans le gravier sans plus pouvoir bouger.

Le prince avança sur lui comme une ombre noire, l'épée relevée, prête à s'abattre sur l'animal.

Et voilà : c'était la fin !

Gunnar s'agita pour tenter d'arrêter la lame, mais comprit sur-le-champ qu'il ne pourrait plus se sauver.

Il pensa à Nives.

Au royaume des Glaces éternelles.

Au «Chant du sommeil».

Il rêvait de pouvoir embrasser la princesse un jour et attendait… de mourir.

C'est alors que le prince fut attaqué par les corbeaux. Les six corbeaux rouges de Calengol s'attachèrent à ses gants et à ses doigts.

La chasse

Herbert cria plus de surprise que de douleur, mais lâcha son arme. L'épée rebondit sur les roches, pendant que les corbeaux, à moitié fous, s'égaillaient autour du prince.

Contemplant les oiseaux de Calengol qui se vengeaient du triste sort de leur maître, Gunnar se contorsionna et se remit sur ses pattes.

La chasse

Les volatiles attaquèrent le prince en agrippant sa tête et en piquant ses bras et ses mains.

– Allez-vous-en, sales bêtes ! glapissait Herbert.

Puis, tandis que le prince regardait tout autour de lui pour retrouver son épée, un hurlement d'une puissance extraordinaire monta du lac gelé et résonna dans toute la vallée jusqu'à faire vibrer les parois de la caverne.

Les loups d'Arcandide avaient entendu les coups de mousquet et approchaient.

Le prince tourna les talons sur la pierraille et s'enfuit vers l'entrée de la caverne.

Ranimant son instinct de loup, Gunnar hurla pour donner le signal de la chasse, un signal que, bien des années plus tôt, il avait refoulé au plus profond de lui-même, et il suivit Herbert en clopinant.

Pendant que les huit loups blancs de la garde d'Arcandide galopaient le long du lac, les corbeaux tournoyaient sans rime ni raison. Devant la grotte, sur la terre battue et compacte, était apparue une étrange figure : un cercle comme le soleil, au milieu duquel était planté un bâton.

Quand Gunnar, traînant sa patte désormais insensible, atteignit la caverne, le prince venait de récupérer son épée. Il ouvrit une sacoche accrochée à sa selle, dont

il sortit une petite boîte perforée. L'emportant, il se rua vers le cercle.

Gunnar ne savait presque rien des vieux sortilèges qui étaient en usage dans les Cinq Royaumes avant que les vastes territoires situés aux confins du royaume de la Fantaisie ne soient divisés par le père de Nives. Et il

ignorait que la magie avait été bannie et les sorciers chassés.

Mais il savait qu'il devait la vie à l'enchantement de la gardienne du volcan, la femme qui l'avait transformé en loup. Il savait que la magie existait toujours. Une magie bonne.

De même qu'il comprenait tout cela, il devinait qu'à l'inverse Herbert se servait d'une force tout autre, qui consumait le monde.

Le cercle tracé par terre était à l'évidence un sort jeté par le prince, comme celui des tempêtes de neige, celui empêchant Gunnar de dormir la nuit…

… ou encore celui qui obligeait Nives à rêver de lui.

Gunnar courut avec toute la vitesse que lui permettaient ses trois pattes indemnes. Mais, juste avant qu'il ne rejoigne le prince, celui-ci sauta à l'intérieur du cercle. L'homme qui se faisait appeler Herbert de Lom attrapa le bâton et le brandit. Gunnar se jeta contre sa poitrine.

– Adieu pour cette fois ! Mais je reviendrai prendre ce qui me revient ! tonna Herbert avant de disparaître.

Gunnar sentit flamber sa fourrure de loup. Il étreignit le vide et roula dans la poussière.

Le prince, le bâton et le cercle s'étaient volatilisés. Il ne restait d'eux qu'un mince filet de fumée et l'âcre

odeur du manteau blanc de Gunnar, brûlé par une chaleur soudaine.

Disparu. Le prince de Lom venait de quitter le royaume des Glaces éternelles exactement comme il y était apparu.

Les corbeaux poussaient des cris stridents, quand soudain les silhouettes des loups blancs parvinrent à l'entrée de la grotte.

Ce fut la dernière chose que vit Gunnar.

28

Le prince

À Arcandide, il n'y eut personne pour les accueillir. L'entrée principale était fermée et le rez-de-chaussée du château sombre et bouclé comme une grange avant la tempête. Des pièces plus élevées du palais s'échappait la musique d'un bal. Les invités se divertissaient.

Les loups se glissèrent dans la cour comme des fantômes. Ils traînèrent Gunnar dans un endroit protégé et, rompus de fatigue, s'assirent auprès de lui.

Bien qu'affamés, ils attendirent patiemment.

Mais Olafur ne vint pas. Les serviteurs ne descendirent pas non plus, comme si personne ne se souvenait d'eux.

Le prince

Soudain, ils entendirent un bruit de pas provenant de l'escalier de service. Quelqu'un dévalait les marches. Les loups blancs levèrent le museau. C'était la princesse Nives.

– Nooon ! cria-t-elle dès qu'elle vit le corps ensanglanté de son animal bien-aimé étendu au milieu des autres loups. Non, Gunnar, ce n'est pas possible ! Dites-moi que ce n'est pas arrivé !

Pour toute réponse, les autres loups s'écartèrent de leur chef. Nives se jeta par terre pour soulever la tête de Gunnar. Le loup blanc gardait les yeux fermés, la gueule entrouverte et la langue pendante.

– Oh non, ça ne peut pas être vrai ! C'est impossible ! hurla Nives, au désespoir.

Tout le museau du loup semblait brûlé et l'une de ses pattes postérieures était couverte de croûtes de sang sombre. Nives fut prise de vertige. Était-il mort ?

– Réveille-toi, Gunnar ! Gunnar !!!

La musique cessa subitement. Des fenêtres s'ouvrirent. Des profils se découpèrent sur la lumière des chandelles et des lampes à huile. Il y eut un mouvement presque imperceptible, et derrière la princesse apparut la silhouette raide du majordome.

Olafur se pencha sur le loup blanc et observa calmement :

Le prince

– Il est vivant, princesse.

Nives crut sortir d'un cauchemar.

Elle examina plus attentivement le corps de Gunnar. Le majordome avait raison : la large poitrine de l'animal se soulevait et s'abaissait lentement, très lentement…

Mais dans ce cas… pourquoi n'ouvrait-il pas les yeux ?

– Il est blessé et à bout de forces, princesse, dit Olafur.

Puis, d'un geste, il envoya quelques-uns de ses manchots serveurs quérir les médecins de la cour.

– Nous allons faire en sorte que tout s'arrange, vous verrez !

Quelque peu réconfortée, Nives posa la tête du loup sur ses genoux.

Le prince

– Ne me laisse pas, Gunnar. Tu as compris ? Tout ira bien, crois-moi ! Tout redeviendra comme avant : nos sorties, notre arbre, nos secrets… murmura-t-elle en pleurant.

De grosses larmes tombèrent sur la fourrure du loup.

– Notre secret… dans le grenier… poursuivit-elle sans cesser de sangloter. Tu te rappelles le poème que je t'ai lu ? Celui de mon père. Il m'avait recommandé de ne le révéler qu'à l'homme que j'aimais. Eh bien… c'est toi que j'aime, mon cher et tendre Gunnar.

À mesure que les larmes tombaient, lourdes comme des météores, sur le corps du loup, un étrange phénomène intervint. Les premiers à s'en rendre compte furent les autres loups, qui reculèrent et émirent des soufflements d'effroi.

Dans les bras de Nives, la fourrure de Gunnar se consumait comme une toile brûlée par le soleil. Ses pattes rétrécissaient et à leur place s'esquissaient des mains et des pieds.

Lorsque Olafur s'en aperçut, il perdit tout sang-froid et s'exclama :

– Par la barbe du roi !

Puis, il s'évanouit.

Nives, elle, ne voyait rien. Alors que les larmes qui

Le prince

mouillaient son loup persistaient à couler de ses yeux mi-clos, elle se souvenait de chaque moment qu'ils avaient passé ensemble.

– Réveille-toi, je t'en prie, Gunnar. Réveille-toi… répétait-elle sans cesser de caresser son museau, ses longues oreilles, son nez…

Nives suspendit son geste et le regarda enfin.

Elle serrait entre ses mains le visage d'un très beau jeune homme.

Le prince

Au même moment, celui-ci ouvrit les yeux et la fixa.

C'était lui, son meilleur ami, le compagnon d'aventures qui avait toujours été à ses côtés. Nives reconnut sans hésitation le regard calme et protecteur qui n'avait jamais manqué de la rassurer.

C'était Gunnar, son grand loup blanc.

Nives ne put proférer le moindre mot, mais Gunnar si.

– Je vous aime, princesse… déclara-t-il.

– Enfin… Gunnar, tu es…

– Oui, répondit-il. Et je vous aime depuis toujours !

... Ainsi s'achève l'histoire de la princesse Nives.
Vous avez certainement envie de savoir ce qui se
passa ensuite. C'est très simple...
On célébra le mariage que la comtesse Berglind
espérait depuis si longtemps. Tout était déjà prêt.
Les invités attendaient. Car Nives avait, bien que
de justesse, enfin trouvé son prince. À dire vrai,
firent remarquer les cuisinières du château, le fiancé
n'était pas vraiment un prince, mais comment
donner tort à Nives ? Gunnar était un si splendide
jeune homme !
Dès lors, celui qui avait été un loup dut s'appuyer
sur un bâton pour soulager sa jambe blessée. Ainsi
garda-t-il jusqu'à la fin de ses jours le souvenir de son
combat avec le prince Herbert.
Personne ne sait exactement ce qui le fit redevenir
un homme. Les larmes d'amour de Nives avaient-
elles rompu le sortilège ? Gunnar était-il si près de
mourir que son accord avec Alifa, la gardienne du
volcan, n'avait plus de valeur ? Ou, comme le pensa
longtemps Nives, était-ce dû au poème de son père,
qu'elle lui avait lu dans sa retraite secrète sous les
combles ? Un poème qui appelait au retour du pouvoir

ancien de l'imagination et des rêves, qui peuvent toujours se réaliser.

Quelle que soit la manière dont les choses advinrent, à Arcandide de nombreux mystères restaient encore à éclaircir durant cet étrange printemps. Des mystères que même les mille et un livres d'Haldorr ne permettaient de résoudre, pas plus que la prodigieuse mémoire du jardinier Helgi. Pour cela, d'autres histoires seraient nécessaires, celles des sœurs de Nives, que vous ne connaissez pas encore.

Mais pas de précipitation : chaque chose en son temps. Pour l'heure, réjouissons-nous de la fête donnée à Arcandide pour le mariage de la princesse Nives.

Écoutez ! Vous n'avez pas l'impression d'entendre Arla et Erla discuter des fruits confits ? Qui a raison, d'après vous ? Erla, qui voudrait les servir avec une noix de crème Chantilly, ou Arla, qui aimerait les accompagner de jus de jasmin ?

Jetez un dernier regard à la scène avant que le rideau ne se referme sur le royaume des Glaces éternelles : cette silhouette voûtée, un peu à l'écart, la reconnaissez-vous ? C'est Helgi, qui a revêtu son habit de cérémonie et répète à tous ceux qui passent à la portée de son bras : « Voici ce qu'on appelle une fête de mariage ! Une vraie fête, comme il se doit ! »

Et là-bas, cachée derrière les tentures en fil d'argent, n'est-ce pas Thina ? Quant à Tallia, elle vient de renverser une tasse de thé. Bouchez-vous les oreilles, car je crains que d'ici peu elle se mette à hurler !

Dès lors, il vaut mieux se retirer comme nous sommes venus : sur la pointe des pieds, en emportant avec nous nos précieuses certitudes : l'amour que se portent Nives et Gunnar est véritable, de ceux qui, selon les envieux, n'existent que dans les contes de fées.

Heureusement, tout cela n'est pas un conte, mais le fruit de l'imagination. Et l'imagination, comme vous le savez, agit bel et bien.

L'heure est venue de vous saluer et de vous donner rendez-vous dans le prochain royaume !

Téa Stilton

TABLE

Introduction   11

PREMIÈRE PARTIE

1. L'invitation secrète   17
2. La princesse Nives   22
3. Le Grand Arbre   29
4. Grands préparatifs au château   36
5. Les corbeaux rouges   42
6. Une désagréable surprise   52
7. Un choix obligé   57
8. Une visite inattendue   69
9. Le prince Herbert de Lom   74
10. La tempête de neige   82
11. Un premier contact laborieux   92

12. Le rêve   98

13. Des pas dans la nuit   112

14. Le secret de Tallia   121

15. Le plan de Nives   132

16. Le piège   141

17. Bas les masques !   152

18. Ambiance tendue à la cour   161

19. Une course éperdue   170

20. Le coléoptère bleu   180

21. L'alliance   185

22. Le prince libérateur   195

SECONDE PARTIE

23. Une coutume cruelle   203

24. En visite   219

25. Retour à Arcandide   230

26. L'arrivée des princes   242

27. La chasse   254

28. Le prince   270

Conclusion   277

À paraître en 2014

Cet ouvrage a été composé par IGS-CP
à L'Isle-d'Espagnac (16)

Les secrets de Nives

J'aime me perdre dans les mille et une pièces du CHÂTEAU D'ARCANDIDE en quête d'objets bizarres... comme la sphère de marbre de l'entrée, qui vibre chaque fois que je l'effleure. Je parie que c'est l'une de ces choses magiques que mon père a voulu faire disparaître du Grand Royaume...

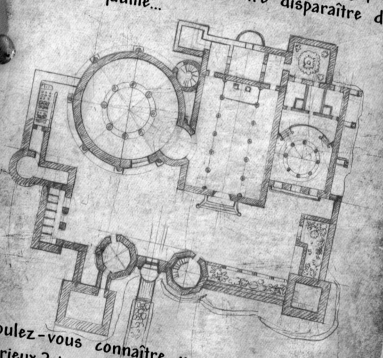

Voulez-vous connaître un autre phénomène curieux ? Le pont-levis d'Arcandide se lève et s'abaisse quand on prononce son nom. Vous ne le croyez pas ? Dites « Kiram » quand vous serez devant... et vous verrez !

ARCANDIDE EST MA MAISON.
ELLE SENT LE FROID, LES VIEUX
MEUBLES ET LA TARTE AUX POMMES...

TANTE BERGLIND m'inspire une grande tendresse... Quand lui viennent des pensées désagréables, elle agite sa main devant elle comme un éventail.

Avec mes jeunes cousines THINA et TALLIA, je m'amuse beaucoup ! Tallia veut devenir coiffeuse de la cour.

Bien sûr, notre tante n'est pas d'accord, surtout après avoir vu son premier essai sur les cheveux de la pauvre Thina !

GUNNAR est le meilleur ami que l'on puisse avoir!
Figurez-vous qu'aujourd'hui il m'a montré des
fleurs... de glace! Il me fixait d'un regard
intense... et j'ai senti que lui aussi était ébloui
par tant de beauté! Parfois, il nous suffit
d'un regard pour nous comprendre...

J'ai réussi! J'ai inventé MON PROPRE DESSERT aux pétales de rose! J'ai ramassé des pétales dans le Jardin d'hiver... Ils étaient si beaux et délicats que je n'ai pas résisté à l'envie d'en goûter la saveur. Pourquoi pas... dans un gâteau? me suis-je dit. Ainsi ai-je fait irruption dans la cuisine. Je suis un brin... désordonnée, mais Arla et Erla sont patientes avec moi. Peut-être parce que je suis leur princesse!

OLAFUR EST LE PLUS IMPASSIBLE
DES MAJORDOMES...
ENFIN, PRESQUE...

ONZE A FAIT UNE INDIGESTION...
LE GROS GOURMAND !

MA CHAMBRE est mon refuge : entrée interdite aux curieux... mais permise à mes cousines et à Gunnar !

Toutes les filles rêvent d'enfiler
des ROBES de princesse.
Je sais, j'ai de la chance...

Ma préférée est la rouge :
je la porte quand je suis
de bonne humeur !

Il y a aussi celle qui est bleue comme
la nuit, bien chaude et confortable...

Mais quand je suis d'humeur mélancolique,
j'enfile ma longue robe bleu ciel...

Enfin, il y a la toilette que ma tante préfère.
Tallia dit que dedans je ressemble
à une vraie reine...

La BIBLIOTHÈQUE doit contenir plus de cent mille livres, pour ce qu'on en sait... Il n'y a en effet aucun catalogue, mais la mémoire d'HALDORR est infaillible. Tallia prétend que des ouvrages apparaissent et disparaissent dans les rayons.

À ce jour, j'ai découvert dix-neuf passages secrets dans la bibliothèque. Mais je suis certaine qu'il y en a bien plus.

Mes livres préférés :
Petits poèmes pour une bonne nuit
Mille et un contes des royaumes lointains

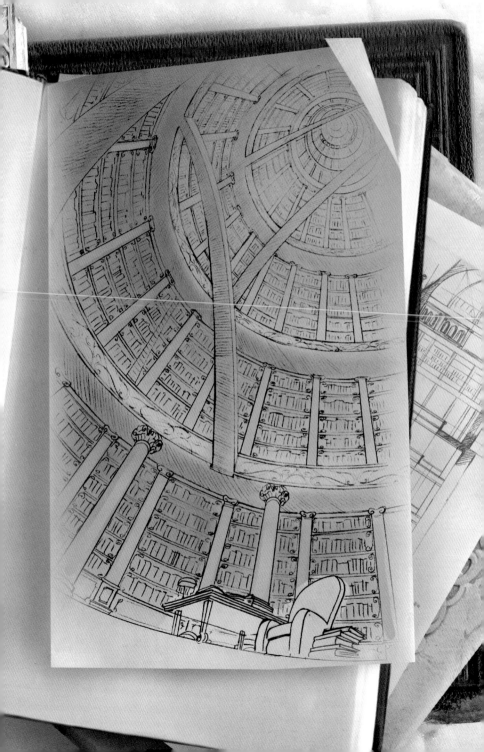

Aujourd'hui, j'étais convaincue d'avoir trouvé, caché dans une vieille malle, un portrait de moi quand j'étais enfant. Mais quand je l'ai montré à tante Berglind, elle m'a dit qu'il s'agissait de DIAMANT, ma jumelle. Où peuvent bien être toutes mes sœurs ?

À l'intérieur d'une petite
PIÈCE SECRÈTE... dans
les combles du château, je
conserve les objets bizarres et
magiques que je trouve çà et là. Une
horloge qui marque deux minutes
à la fois, un parfum qui fait rire
à gorge déployée et une cuillère
avec une queue de poisson qui
luit chaque fois qu'on la prend.
Amusant...

Dans mon royaume, rien ne m'émeut plus que le GRAND
ARBRE. Il produit tous les fruits du monde et ses
fleurs sont très parfumées. Après une visite au
Jardin d'hiver, Gunnar et moi rentrons à
Arcandide avec un panier rempli de
fruits de toutes sortes. C'est
fantastique!

Quand le très sage
Helgi parle, j'ai l'impression
d'entendre mon père. Qui sait de
quel royaume il vient? Il n'a jamais
voulu me le dire. Mais, au fond, quelle
importance? Il vit désormais auprès de
nous à Arcandide : avec lui et Gunnar, je
me sens heureuse et en sécurité...